LAS 100

ENSALADAS
MÁS
SALUDABLES
Y DELICIOSAS

LAS 100 ENSALADAS MÁS SALUDABLES Y DELICIOSAS

CIEN DELICIOSAS RECETAS CON LAS SUPERENSALADAS
DEFINITIVAS PARA DISFRUTAR EL SABOR DEL
VERANO EN TODAS LAS ESTACIONES

LOVE FOOD is an imprint of Parragon Books Ltd

LOVE FOOD and the accompanying heart
device is a registered trade mark of Parragon
Books Ltd in Australia, the UK and the EU.

This edition published by Parragon Books Ltd
in 2015 and distributed by:

Parragon Inc.
440 Park Avenue South, 13th Floor
New York, NY 10016, USA
www.parragon.com

Fotografía: Günter Beer
Estilismo: Stevan Paul
Diseño: Talking Design
Introducción y recetas adicionales: Beverly
Le Blanc

Traducción del inglés: Carme Franch Ribes
para LocTeam, Barcelona
Redacción y maquetación de la edición
en español: LocTeam, Barcelona

ISBN: 978-1-4748-2451-4

Impreso en China – Printed in China

Todas las cucharadas utilizadas como unidad
son rasas: una cucharadita equivale a 5 ml
y una cucharada, a 15 ml. Si no se indica lo
contrario, la leche que se utiliza es entera,
los huevos y la fruta, como por ejemplo
los plátanos, son de tamaño mediano, y la
pimienta es negra y recién molida.

Las recetas que incluyen huevos crudos o
poco hechos no son recomendables para
niños, ancianos, embarazadas, y personas
convalecientes o enfermas. Se aconseja a
las mujeres embarazadas o lactantes evitar
el consumo de cacahuetes o sus derivados.

índice

Un toque estival en su mesa

De un tiempo a esta parte, las ensaladas han evolucionado por completo. La imagen de poco más que unas hojas mustias de lechuga y unos tomates insípidos sin apenas aliño asociada a una dieta aburrida ha pasado a la historia.

Hoy en día, las ensaladas ilustran el concepto de comida saludable por excelencia. Incorporan una gran variedad de ingredientes saciantes, deliciosos y coloridos que aportan los nutrientes esenciales para una vida sana. En estas páginas encontrará ideas para preparar ensaladas saludables para cualquier ocasión, desde una comida ligera o familiar, hasta una cena de compromiso. Y, como las ensaladas no son sólo un plato estival, también descubrirá propuestas más ligeras y coloristas para el invierno. Una vez se acostumbre a incorporar las ensaladas a la planificación del menú, las ideas surgirán en cualquier época del año mientras empuja el carrito por el supermercado o se detiene ante el mostrador de los quesos o las hortalizas.

Las ensaladas son tan versátiles que satisfacen tanto a los vegetarianos como a los que no lo son. La carne, el marisco y las aves son alimentos perfectos para acompañar a la lechuga y otras hojas de ensalada, hortalizas, fruta, hierbas, frutos secos, semillas, cereales, legumbres y queso. Con tantos ingredientes para elegir, las ensaladas pueden ser tan sencillas y ligeras o complejas y saciantes como desee. Además, tienen la ventaja añadida de que pueden adaptarse a la planificación del menú, desde los platos principales hasta los postres.

En este libro encontrará recetas clásicas como la *Ensalada César*, la *del chef* y la *niçoise*, pero también ideas innovadoras que condensan los sabores de cocinas de todo el mundo. Si no le seduce la idea de una ensalada de pollo porque la ha preparado tantas veces que ya le aburre, quizá le apetezca probar la *Ensalada de pollo al estilo tailandés* (véase la página 102), una receta muy original.

Un sinfín de posibilidades

Hasta hace poco, los conceptos de «ensalada» y «salud» sólo iban unidos en el contexto de las dietas para adelgazar restrictivas y, a la larga, ineficaces. Afortunadamente, hoy las ensaladas constituyen un elemento exquisito de las dietas saludables pues permiten disfrutar de infinitas posibilidades sin necesidad de pasarse horas en la cocina.

Con productos frescos de todos los rincones del planeta disponibles en los supermercados y las tiendas especializadas, actualmente es posible disfrutar de una amplia gama de ensaladas todo el año, aunque no hay que olvidar que resultan más sabrosas y nutritivas cuando se preparan con productos de temporada selectos.

Es bien sabido que hay que consumir cinco raciones de fruta y hortalizas diariamente, de modo que con una ensalada al día no resulta difícil alcanzar la meta deseada. La *Ensalada griega tradicional* (página 17) o la *Ensalada tricolor* (página 34), por ejemplo, cubren buena parte de las necesidades nutricionales. Nunca había sido tan fácil y sabroso cuidarse.

Las ensaladas también son un acompañamiento excelente para un plato de pasta o de carne asada. De manera que, si suele dejarse llevar por la costumbre de aliñar unas hojas de lechuga con una sencilla vinagreta, quizá ha llegado el momento de ver las cosas desde otra perspectiva. Es muy fácil mezclar y combinar ingredientes con resultados sorprendentes. Tampoco hay que dejarse engañar por la idea de que todos los ingredientes de una ensalada tienen que estar crudos, puesto que si añade pequeñas cantidades de carne, aves, pescado y marisco a las hojas de lechuga y otras hortalizas obtendrá un plato muy completo. Si opta por un plato único, pruebe la *Ensalada de carne de cerdo y calabaza al horno* (página 113), la *Ensalada de pollo ahumado con aliño de aguacate y estragón* (página 110) o la *Ensalada de gambas y arroz* (página 145). Si prefiere un plato principal vegetariano, puede elegir algo más exótico, como el *Taboulé* (página 190) o la *Ensalada de fideos de alforfón con tofu ahumado* (página 193).

Las hortalizas cocidas también ofrecen un sinfín de posibilidades. Los pimientos asados, las berenjenas fritas, las legumbres blanqueadas y los guisantes son sólo algunos de los muchos ingredientes que añaden un toque de sabor y de originalidad a las ensaladas de este libro.

Una explosión de color

Pese a la variedad de ingredientes que existen, las hojas de lechuga siguen siendo la base de muchas ensaladas. Basta dar una vuelta por el supermercado o la verdulería para descubrir una miríada de colores y texturas, desde las pálidas e irisadas endivias, hasta el llamativo rojo y blanco de la achicoria. Las diferencias también se aprecian en el paladar, con sabores intensos y picantes, o bien dulces, suaves y a frutos secos.

Cuanta mayor sea la variedad de las hojas de ensalada, mayor será el atractivo y el aporte nutricional del plato. Cuando las elija, recuerde que las variedades más oscuras, como las espinacas, contienen más betacaroteno, una sustancia que ayuda a prevenir algunos tipos de cáncer y otras enfermedades. Asimismo, las hortalizas de hoja verde son una fuente excelente de fibra.

Aunque es muy cómodo comprar una bolsa de hojas de ensalada, siempre es mejor elegirlas por separado en la verdulería o en los puestos del mercado. En las tiendas de alimentación asiáticas y de otras nacionalidades encontrará variedades insólitas y originales.

Si desea dar un toque distinto a sus ensaladas, pruebe alguna de estas variedades:

• Hojas de remolacha − Estas hojas tiernas de tallos rojo rubí presentan un sabor suave.

• Lechuga romana − La *Ensalada César* (página 14) no sería lo mismo sin esta lechuga. Los cogollos son grandes y compactos, y las hojas largas y crujientes con un dulce sabor a frutos secos.

• Canónigos − También conocidos como milamores, cuentan con hojas tiernas de sabor suave que recuerda al de los frutos secos.

• Mesclun – Esta combinación de hojas tiernas de ensalada de origen provenzal puede encontrarse envasada en los supermercados. Entre sus ingredientes se cuentan el perifollo, las hojas de diente de león, la lechuga hoja de roble y la rúcula. Basta con abrir la bolsa, aliñar y mezclar.

• Mizuna – Esta hortaliza de invierno oriental posee un intenso sabor picante y sus hojas verdes y puntiagudas son muy decorativas.

• Berro – Tanto las coloridas flores como las hojas acres de esta planta son comestibles.

• Achicoria roja – Nada como el llamativo follaje de esta hortaliza para alegrar las ensaladas en otoño y a principios de invierno. Posee una textura crujiente y un sabor picante a frutos secos.

• Acelga roja – Al igual que las hojas de remolacha, esta hortaliza rica en fibra cuenta con característicos tallos colorados. A veces las hojas también presentan una tonalidad rojiza.

• Rúcula – Conocida por su intenso sabor picante, las hojas verde oscuro aportan un toque distinto a muchas ensaladas. La rúcula, que también se conoce como ruqueta u oruga, es un ingrediente popular de las ensaladas italianas.

Consejos sobre la conservación

Las mejores ensaladas se preparan sólo con ingredientes de calidad, y la frescura de las hortalizas es uno de los aspectos más importantes. Como las hojas tienen un elevado contenido de agua, son muy perecederas, por lo que es mejor consumirlas poco después de comprarlas. No sólo tendrán mejor sabor, sino que también conservarán todas sus propiedades nutritivas.

Cuando compre hojas de ensalada, déjese guiar por la vista: si están frescas, se verán frescas. Evite las que estén moteadas de marrón o las que estén mustias o viscosas.

Una vez en casa, enjuague los ingredientes de la ensalada bajo el grifo, centrifúguelos o séquelos bien con un paño de cocina limpio. No los deje nunca en remojo en agua fría, de lo contrario se perderán las vitaminas y los minerales hidrosolubles.

Utilice las hojas cuanto antes, aunque en general se conservan hasta cuatro días en un recipiente hermético dentro del refrigerador. Si abre los envases de ensalada, consúmala en 24 horas. Si lo desea, puede preparar las hojas de ensalada con varias horas de antelación y guardarlas en el frigorífico, pero no las aliñe hasta el momento de servir, de lo contrario el ácido del aderezo podría marchitar las hojas y dotarlas de una apariencia poco apetitosa.

refrescantes
ensaladas de hortalizas

ensalada César

para 4 personas

ingredientes

1 huevo grande

2 lechugas romanas o 3 cogollos

6 cucharadas de aceite de oliva

2 cucharadas de zumo de limón

sal y pimienta

8 filetes de anchoa en conserva escurridos
    y en trozos grandes

85 g de virutas de parmesano tierno

picatostes al ajo

4 cucharadas de aceite de oliva

2 dientes de ajo

5 rebanadas de pan blanco sin la corteza
    cortadas en dados de 1 cm de lado

Lleve agua a ebullición en una cacerola pequeña de fondo pesado.

Mientras tanto, prepare los picatostes. Caliente el aceite en una sartén de fondo pesado. Añada el ajo y el pan, y fríalos, removiendo a menudo, de 4 a 5 minutos, o hasta que el pan esté crujiente y dorado. Retírelo de la sartén con una espumadera y déjelo escurrir sobre papel de cocina.

Mientras se fríe el pan, añada el huevo al agua hirviendo y cuézalo 1 minuto. Retírelo de la cacerola y resérvelo.

Reparta las hojas de lechuga en una ensaladera. Mezcle el aceite y el zumo, y salpiméntelo todo al gusto. Casque el huevo y bátalo junto con el aliño. Viértalo sobre la lechuga, mézclela bien, añada los picatostes y las anchoas, y mezcle de nuevo la ensalada. Decórela con las virutas de parmesano y sírvala.

ensalada griega tradicional

para **4 personas**

ingredientes

200 g de queso feta griego

½ cogollo de lechuga iceberg o
   1 lechuga romana o escarola cortada
   en juliana o en rodajas

4 tomates cortados en cuartos

½ pepino cortado en rodajas

12 aceitunas negras griegas sin hueso

2 cucharadas de hierbas frescas
   picadas como orégano, perejil,
   menta o albahaca

para el aliño

6 cucharadas de aceite de oliva
   virgen extra

2 cucharadas de zumo de limón
   recién exprimido

1 diente de ajo majado

una pizca de azúcar

sal y pimienta

Para preparar el aliño, bata el aceite, el zumo, el ajo, el azúcar, la sal y la pimienta en un cuenco pequeño. Resérvelo. Corte el queso en dados de unos 2,5 cm de lado. Ponga la lechuga, el tomate y el pepino en una ensaladera. Cúbralo con el queso y mezcle los ingredientes.

En el último momento, bata el aliño, viértalo sobre la ensalada y mézclala bien. Decórela con las aceitunas y las hierbas picadas, y sírvala.

ensalada de mozzarella con tomates secos

para 4 personas

ingredientes

100 g de hojas de ensalada variadas,
    como hoja de roble, brotes de espinaca
    y rúcula
500 g de mozzarella ahumada cortada
    en rodajas

para el aliño

140 g de tomates secos en aceite de oliva
    (peso escurrido) junto con el aceite
    del envase
15 g de albahaca fresca troceada
15 g de perejil fresco picado grueso
1 cucharada de alcaparras aclaradas
1 cucharada de vinagre balsámico
1 diente de ajo picado grueso
aceite de oliva adicional, si es necesario
sal y pimienta

Para preparar el aliño, ponga los tomates, la albahaca, el perejil, las alcaparras, el vinagre y el ajo en un robot de cocina o una batidora. Mida el aceite del envase de los tomates y, si es necesario, añada más hasta obtener 150 ml. Viértalo en el robot o la batidora y triture los ingredientes hasta obtener una mezcla homogénea. Salpiméntela.

Reparta las hojas de lechuga en 4 platos individuales. Ponga la mozzarella encima y vierta el aliño. Sirva la ensalada enseguida.

ensalada roja y verde

para 4 personas

ingredientes

650 g de remolacha cocida

3 cucharadas de aceite de oliva
   virgen extra

el zumo de 1 naranja

1 cucharadita de azúcar extrafino

1 cucharadita de semillas de hinojo

sal y pimienta

115 g de brotes de espinaca frescos

Con un cuchillo afilado, corte la remolacha en dados y resérvela hasta que la necesite. Caliente el aceite en una cacerola pequeña de fondo pesado. Vierta el zumo, el azúcar y las semillas, y salpimiéntelo todo al gusto. Remueva el aliño constantemente hasta que se disuelva el azúcar.

Añada la remolacha a la cacerola y remuévala con cuidado para que se empape bien. Retire la cacerola del fuego.

Reparta los brotes de espinaca en una ensaladera. Cúbralas con la remolacha caliente y sirva la ensalada enseguida.

ensalada de ajo, boniato, berenjena y pimiento asados con mozzarella

para 4 personas

ingredientes

2 boniatos pelados y cortados en trozos
    grandes
2 cucharadas de aceite de oliva
pimienta
2 dientes de ajo majados
1 berenjena grande cortada en rodajas
2 pimientos rojos sin las semillas
    y cortados en rodajas
200 g de hojas de ensalada variadas
2 piezas de mozzarella de 150 g cada una,
    escurridas y cortadas en rodajas

para el aliño

1 cucharada de vinagre balsámico
1 diente de ajo majado
3 cucharadas de aceite de oliva
1 chalote pequeño bien picado
2 cucharadas de hierbas frescas picadas,
    como estragón, perifollo y albahaca
sal y pimienta

Precaliente el horno a 190 °C. Ponga el boniato en una bandeja con el aceite, pimienta al gusto y el ajo, y mézclelo todo. Áselo 30 minutos, o hasta que esté tierno y algo chamuscado.

Mientras tanto, precaliente el grill a temperatura máxima. Reparta las rodajas de berenjena y pimiento en una bandeja de horno y áselas, dándoles la vuelta de vez en cuando, durante 10 minutos, o hasta que estén tiernas y algo chamuscadas.

Para preparar el aliño, bata el vinagre junto con el ajo y el aceite en un cuenco pequeño e incorpore el chalote y las hierbas. Salpiméntelo al gusto.

Para servir, reparta las hojas de ensalada en 4 platos y cúbralas con el boniato, la berenjena, el pimiento y la mozzarella. Aderece la ensalada con el aliño y sírvala.

ensalada de setas variadas

para 4 personas

ingredientes

3 cucharadas de piñones

2 cebollas rojas troceadas

4 cucharadas de aceite de oliva

2 dientes de ajo majados

3 rebanadas de pan integral malteado
    cortado en dados

200 g de hojas de ensalada variadas

250 g de setas castaña cortadas en láminas

150 g de setas shiitake cortadas en láminas

150 g de setas de cardo troceadas

para el aliño

1 diente de ajo majado

2 cucharadas de vinagre de vino tinto

4 cucharadas de aceite de nuez

1 cucharada de perejil fresco bien picado

sal y pimienta

Precaliente el horno a 180 °C. Caliente una sartén antiadherente a fuego medio, añada los piñones y tuéstelos, sin dejar de remover, hasta que empiecen a dorarse. Páselos a un cuenco y resérvelos.

Ponga la cebolla y 1 cucharada de aceite en una bandeja de horno y remuévala para que se empape bien. Ase la cebolla durante 30 minutos.

Mientras tanto, caliente 1 cucharada de aceite junto con el ajo en una sartén antiadherente a fuego alto. Añada el pan y fríalo, dándole la vuelta a menudo, durante 5 minutos, o hasta que esté dorado y crujiente. Retírelo de la sartén y resérvelo.

Reparta las hojas de ensalada en 4 platos y cúbralas con la cebolla asada. Para preparar el aliño, bata el ajo, junto con el vinagre y el aceite en un cuenco pequeño. Incorpore el perejil y salpiméntelo todo. Viértalo sobre la ensalada.

Caliente el aceite restante en una sartén, añada las setas castaña y shiitake, y saltéelas de 2 a 3 minutos. Agregue las setas de cardo y prosiga la cocción de 2 a 3 minutos más. Reparta la mezcla de setas calientes en 4 platos. Decore la ensalada con los piñones y los picatostes, y sírvala.

ensalada tibia de lentejas rojas con queso de cabra

para 4 personas

ingredientes

2 cucharadas de aceite de oliva

2 cucharaditas de cominos

2 dientes de ajo majados

2 cucharaditas de raíz de jengibre
    fresca rallada

300 g de lentejas rojas partidas

700 ml de caldo de verduras

2 cucharadas de menta fresca picada

2 cucharadas de cilantro fresco picado

2 cebollas rojas cortadas en aros finos

200 g de brotes de espinaca

1 cucharadita aceite de avellana

150 g de queso de cabra cremoso

4 cucharadas de yogur griego

pimienta

Caliente la mitad del aceite de oliva en una cacerola grande a fuego medio, añada el comino, el ajo y el jengibre, y sofríalos 2 minutos sin dejar de remover.

Incorpore las lentejas, vierta un cucharón de caldo y remueva hasta que se haya absorbido. Añada otro cucharón sin dejar de remover, y así sucesivamente hasta terminarlo; este proceso le llevará unos 20 minutos. Retire la cacerola del fuego e incorpore las hierbas.

Mientras tanto, caliente el aceite de oliva restante en una sartén a fuego medio. Añada la cebolla y sofríala, removiéndola con frecuencia durante 10 minutos, o hasta que esté tierna y empiece a dorarse.

Mezcle las espinacas con el aceite de avellana en un cuenco y repártalas en 4 platos.

Chafe el queso con el yogur en un cuenco pequeño y sazónelos con pimienta al gusto.

Reparta las lentejas entre los platos y cúbralas con la cebolla y la mezcla de queso. Sirva la ensalada.

ensalada de judías verdes y nueces

Corte los extremos de las judías pero déjelas enteras. Hiérvalas de 3 a 4 minutos en agua con sal. Escúrralas bien, refrésquelas bajo el grifo con agua fría y escúrralas de nuevo. Póngalas en una ensaladera y añada la cebolla, el ajo y el queso.

Ponga los ingredientes del aliño en un tarro con tapa de rosca y agítelos bien. Aliñe la ensalada y mézclela con cuidado. Tápela con film transparente y guárdela, al menos, 30 minutos en el frigorífico. Sáquela 10 minutos antes de servir. Remueva los ingredientes de la ensalada y repártala en cuencos o platos individuales.

Tueste las nueces en una sartén sin aceite a fuego medio durante 2 minutos, o hasta que empiecen a dorarse. Repártalas sobre la ensalada de judías para adornarla y sírvala.

ensalada de cebolla roja, tomate y hierbas

para 4 personas

ingredientes

900 g de tomates cortados en rodajas finas

1 cucharada de azúcar (opcional)

sal y pimienta

1 cebolla roja cortada en aros finos

un buen manojo de hierbas frescas
   troceadas

para el aliño

2-4 cucharadas de aceite vegetal

2 cucharadas de vinagre de vino tinto
   o de frutas

Reparta las rodajas de tomate en un plato llano. Espolvoréelas con el azúcar (si lo utiliza) y salpimiéntelas.

Separe los aros de cebolla y distribúyalos sobre el tomate. Cúbralo todo con las hierbas; puede utilizar las variedades de temporada que prefiera, como estragón, acedera, cilantro o albahaca.

Ponga los ingredientes del aliño en un tarro con tapa de rosca y agítelos bien. Vierta el aliño sobre la ensalada y mézclela con cuidado. Tápela con film transparente y guárdela 20 minutos en el frigorífico. Sáquela 5 minutos antes de servir.

ensalada de remolacha y nueces

para 4 personas

ingredientes

3 remolachas cocidas ralladas

3 cucharadas de vinagre de vino tinto
o de frutas

2 manzanas ácidas, como Granny Smith

2 cucharadas de zumo de limón

4 manojos grandes de hojas de ensalada
variadas, para acompañar

4 cucharadas de pacanas, para decorar

para el aliño

50 ml de yogur natural

50 ml de mayonesa

1 diente de ajo picado

1 cucharada de eneldo fresco picado

sal y pimienta

Rocíe la remolacha con el vinagre, tápela con film transparente y guárdela 4 horas como mínimo en el frigorífico.

Descorazone las manzanas y córtelas en rodajas. Póngalas en un plato y rocíelas con el zumo para evitar que se oxiden.

Mezcle los ingredientes del aliño en un cuenco pequeño. Saque la remolacha del frigorífico y alíñela. Añada la manzana y mézclelo todo con cuidado para que los ingredientes se empapen bien de aliño.

Para servir, emplate las hojas de ensalada y cúbralas con una cucharada sopera de la mezcla aliñada.

Tueste las pacanas en una sartén a fuego medio durante 2 minutos, o hasta que empiecen a dorarse. Repártalas sobre la mezcla de manzana y remolacha para decorar.

ensalada tricolor

para 4 personas

ingredientes

280 g de mozzarella de búfala escurrida
    y cortada en rodajas finas
8 tomates de Montserrat cortados
    en rodajas
sal y pimienta
20 hojas de albahaca fresca
125 ml de aceite de oliva virgen extra

Distribuya las rodajas de mozzarella y tomate en 4 platos
y sálelas. Resérvelas durante 30 minutos en un lugar frío.

Reparta las hojas de albahaca sobre la ensalada y rocíela con
el aceite. Sazónela con pimienta y sírvala enseguida.

ensalada de pimiento asado

para 4-6 personas

ingredientes

6 pimientos rojos, anaranjados o amarillos
    grandes, cortados por la mitad a lo
    largo, asados y pelados

4 huevos duros pelados

12 filetes de anchoa en aceite escurridos

12 aceitunas negras grandes sin hueso

aceite de oliva virgen extra o con sabor
    a ajo para aliñar

vinagre de jerez al gusto

sal y pimienta

pan crujiente, para acompañar

Descorazone los pimientos asados, retíreles las semillas y córtelos en tiras finas. Dispóngalas en una fuente.

Corte los huevos en cuñas y póngalos sobre el pimiento junto con las anchoas y las aceitunas.

Alíñelo al gusto con aceite y unas gotas de vinagre. Salpimiente la ensalada y sírvala con pan.

ensalada de tomate con queso feta frito

ingredientes

12 tomates maduros cortados en rodajas

1 cebolla roja muy pequeña cortada
    en aros finos

15 g de hojas de rúcula

20 aceitunas negras sin hueso

200 g de queso feta

1 huevo

3 cucharadas de harina

2 cucharadas de aceite de oliva

para el aliño

3 cucharadas de aceite de oliva
    virgen extra

el zumo de ½ limón

2 cucharaditas de orégano fresco picado

una pizca de azúcar

pimienta

Para preparar el aliño, bata el aceite junto con el zumo, el orégano, el azúcar y la pimienta en un cuenco pequeño. Resérvelo.

Para hacer la ensalada, reparta el tomate, la cebolla, la rúcula y las aceitunas en 4 platos.

Corte el feta en dados de unos 2,5 cm de lado. Bata el huevo en un plato y ponga la harina en otro. Pase el queso por el huevo, sacúdalo con cuidado y rebócelo en harina.

Caliente el aceite en una sartén grande, añada el queso y fríalo a fuego medio, dándole la vuelta hasta que se dore por todas las caras.

Reparta el queso rebozado sobre la ensalada. Bata el aliño de nuevo, viértalo sobre la ensalada con la ayuda de una cuchara y sírvala tibia.

ensalada de pimiento asado con queso de cabra

para 4 personas

ingredientes

2 pimientos rojos

2 pimientos verdes

2 pimientos amarillos o anaranjados

125 ml de vinagreta o vinagreta
   a las hierbas

6 cebolletas bien picadas

1 cucharada de alcaparras en salmuera
   lavadas

200 g de queso de cabra blando
   sin la corteza

perejil fresco picado, para decorar

Precaliente el grill a la temperatura máxima. Disponga los pimientos en una bandeja, sitúela a unos 10 cm de la fuente de calor y áselos de 8 a 10 minutos, dándoles la vuelta a menudo hasta que la piel se chamusque uniformemente. Pase los pimientos a un cuenco, tápelos con un paño húmedo y déjelos reposar hasta que estén lo bastante fríos como para poder manejarlos.

Con un cuchillo pequeño, pele los pimientos. Trabaje sobre un cuenco para recoger su jugo mientras los corta por la mitad, los descorazona y les retira las semillas. A continuación, corte la pulpa en tiras finas.

Disponga el pimiento en una fuente, y riéguelo con el jugo reservado y la vinagreta. Cúbralo con la cebolleta y las alcaparras y, finalmente, con el queso desmenuzado. Si no va a servir la ensalada enseguida, tápela y guárdela en el frigorífico. En el momento de llevarla a la mesa, decórela con el perejil.

ensalada de habas

para 4 personas

ingredientes

1,3 kg de habas tiernas frescas
   o 675 g de habas mini congeladas
150 g de queso feta
1 manojo de cebolletas cortadas
   en rodajas finas
2 cucharadas de eneldo o menta frescos
   picados
2 huevos duros cortados en cuartos
pan crujiente
yogur griego, para acompañar (opcional)

para el aliño

6 cucharadas de aceite de oliva
   virgen extra
la ralladura de 1 limón y 2 cucharadas
   de zumo de limón
1 diente de ajo pequeño majado
una pizca de azúcar
pimienta

Para preparar el aliño, bata el aceite junto con la ralladura, el zumo, el ajo, el azúcar y la pimienta en un cuenco pequeño. Resérvelo.

Si las habas son frescas, desgránelas y hiérvalas en agua con sal de 5 a 10 minutos, o hasta que estén tiernas. Si las utiliza congeladas, hiérvalas en agua con sal de 4 a 5 minutos. Escúrralas y póngalas en una ensaladera.

Bata el aliño y viértalo sobre las habas cuando aún estén calientes. Desmenuce el queso por encima, añada la cebolleta y mézclelo todo bien. Reparta el eneldo o la menta sobre la superficie y añada el huevo duro.

Sirva la ensalada tibia con pan crujiente y, si lo desea, acompañada de un cuenco con yogur.

ensalada de tomate
a la mexicana

para 4 personas

ingredientes

600 g de tomates pelados sin las pepitas
    y cortados en trozos grandes
1 cebolla cortada en rodajas finas
    separadas en aros
400 g de frijoles en conserva escurridos
    y lavados

para el aliño

1 guindilla verde fresca sin las semillas
    y cortada en dados
3 cucharadas de cilantro fresco picado
3 cucharadas de aceite de oliva
1 diente de ajo bien picado
4 cucharadas de zumo de lima
sal y pimienta

Ponga el tomate y la cebolla en una ensaladera grande y mézclelos bien. Incorpore los frijoles.

Para preparar el aliño, mezcle la guindilla junto con el cilantro, el aceite, el ajo y el zumo en una salsera, y salpiméntelo todo al gusto.

Aliñe la ensalada y mézclela bien. Sírvala enseguida o tápela con film transparente y guárdela en el frigorífico hasta el momento de servirla.

ensalada de fideos
a la tailandesa

para 4 personas

ingredientes

25 g de orejas de Judas secas

55 g de setas chinas secas

115 g de fideos celofán

115 g de carne magra de cerdo
picada y cocida

115 g de gambas crudas peladas

5 guindillas rojas frescas sin las semillas
y cortadas en rodajas finas

1 cucharada de cilantro fresco picado

3 cucharadas de salsa de pescado
tailandesa

3 cucharadas de zumo de lima

1 cucharada de azúcar moreno

Ponga los dos tipos de setas en cuencos separados y cúbralas con agua hirviendo. Déjelas 30 minutos en remojo. Transcurridos 20 minutos, ponga los fideos en otro cuenco y cúbralos con agua caliente. Déjelos en remojo 10 minutos, o el tiempo indicado en el envase.

Escurra las orejas de Judas, lávelas bien y córtelas en trozos pequeños. Escurra las setas chinas y exprímalas con las manos para extraer la mayor cantidad de líquido posible. Deseche los pies y corte los sombrerillos de los dos tipos de setas por la mitad. Vierta agua en una cacerola hasta cubrir la base y llévela a ebullición. Añada la carne picada, las gambas y las setas, y cuézalo todo a fuego lento, sin dejar de remover, durante 3 minutos, o hasta que las gambas estén bien hechas. Escúrralo todo bien. Escurra los fideos y córtelos en segmentos cortos con unas tijeras de cocina.

Ponga la guindilla, el cilantro, la salsa de pescado, el zumo y el azúcar en una ensaladera y mézclelos hasta que se disuelva el azúcar. Incorpore los fideos y la mezcla de gambas y cerdo. Remueva la ensalada y sírvala.

ensalada de boniato y judías

para 4 personas

ingredientes

1 boniato

4 zanahorias mini cortadas
   por la mitad

4 tomates

4 tallos de apio picados

225 g de judías pintas en conserva,
   escurridas y lavadas

115 g de hojas de ensalada variadas, como
   lechuga rizada, rúcula, achicoria roja
   y hoja de roble

1 cucharada de pasas sultanas

4 cebolletas cortadas en rodajas al bies

para el aliño

2 cucharadas de zumo de limón

1 diente de ajo majado

150 ml de yogur natural

2 cucharadas de aceite de oliva

sal y pimienta

Pele el boniato y córtelo en dados. Lleve agua a ebullición en una cacerola a fuego medio. Añada el boniato y cuézalo 10 minutos, o hasta que esté tierno. Escúrralo, páselo a un cuenco y resérvelo.

Cueza las zanahorias en otra cacerola con agua hirviendo durante 1 minuto. Escúrralas bien y añádalas al boniato. Corte la parte superior de los tomates y extraiga las pepitas. Pique la pulpa y agréguela al cuenco junto con el apio y las judías. Mezcle bien los ingredientes.

Ponga en una fuente las hojas de ensalada. Con la ayuda de una cuchara cúbralas con la mezcla de boniato y judías. Por último, agregue las pasas sultanas y la cebolleta.

Ponga los ingredientes del aliño en un tarro con tapa de rosca, salpiméntelos al gusto y agítelos hasta obtener una mezcla homogénea. Aderece la ensalada con el aliño y sírvala.

ensalada de frambuesas y feta con cuscús

para 6 personas

ingredientes

350 g de cuscús

600 ml de caldo de pollo
  o de verduras hirviendo

350 g de frambuesas frescas

un ramillete de albahaca fresca

225 g de queso feta cortado en dados
  o desmenuzado

2 calabacines cortados en rodajas finas

4 cebolletas limpias y cortadas en rodajas
  al bies

55 g de piñones tostados

la ralladura de 1 limón

para el aliño

1 cucharada de vinagre de vino blanco

1 cucharada de vinagre balsámico

4 cucharadas de aceite de oliva
  virgen extra

el zumo de 1 limón

sal y pimienta

Ponga el cuscús en un cuenco refractario grande y cúbralo con el caldo. Remuévalo bien, tápelo y déjelo en remojo hasta que se absorba todo el caldo.

Seleccione las frambuesas y deseche las que estén demasiado maduras. Desmenuce las hojas de albahaca.

Pase el cuscús a una ensaladera y remuévalo bien para deshacer los grumos. Añada el queso, el calabacín, la cebolleta, las frambuesas y los piñones. Incorpore la albahaca y la ralladura, y mezcle con cuidado los ingredientes.

Ponga los ingredientes del aliño en un tarro con tapa de rosca, salpiméntelos al gusto, enrosque la tapa y agítelos hasta obtener una mezcla homogénea. Aderece la ensalada con el aliño y sírvala.

ensalada de orecchiette con pera y queso stilton

para 4 personas

ingredientes

250 g de orecchiette secos

1 cogollo de achicoria roja troceado

1 lechuga hoja de roble troceada

2 peras

1 cucharada de zumo de limón

250 g de queso stilton en dados

55 g de nueces troceadas

4 tomates cortados en cuartos

1 cebolla roja cortada en aros

1 zanahoria rallada

8 hojas de albahaca fresca

55 g de canónigos

para el aliño

2 cucharadas de zumo de limón

4 cucharadas de aceite de oliva

1 cucharada de vinagre de vino blanco

sal y pimienta

Lleve a ebullición agua con un poco de sal en una cacerola grande de fondo pesado. Añada la pasta y, cuando rompa de nuevo el hervor, cuézala de 8 a 10 minutos, o hasta que esté al dente. Escúrrala, refrésquela en un cuenco con agua fría y escúrrala de nuevo.

Ponga las hojas de ensalada en una ensaladera. Parta las peras por la mitad, descorazónelas y corte la pulpa en dados. Coloque la fruta en un cuenco pequeño y rocíela con el zumo para evitar que se oxide. Cubra la ensalada con el queso, las nueces, la pera, la pasta, el tomate, la cebolla y la zanahoria. Añada la albahaca y los canónigos.

Para preparar el aliño, mezcle el zumo, el aceite y el vinagre en un tarro, y salpimiéntelo todo al gusto. Aderece la ensalada con el aliño, mezcle los ingredientes y sírvala.

ensalada con aliño de yogur

para 4 personas

ingredientes

85 g de pepino cortado en bastoncillos

6 cebolletas cortadas por la mitad

2 tomates sin las pepitas y cortados
   en 8 cuñas

1 pimiento amarillo sin las semillas
   y cortado en tiras

2 tallos de apio cortados en tiras

4 rabanitos cortados en cuartos

85 g de rúcula

1 cucharada de menta fresca picada,
   para decorar (opcional)

para el aliño

2 cucharadas de zumo de limón

1 diente de ajo majado

150 ml de yogur natural

2 cucharadas de aceite de oliva

sal y pimienta

Para preparar la ensalada, mezcle con cuidado el pepino, la cebolleta, el tomate, el pimiento, el apio, los rabanitos y la rúcula en una ensaladera grande.

Para preparar el aliño, mezcle el zumo, el ajo, el yogur y el aceite en un cuenco pequeño hasta obtener una consistencia homogénea. Salpimiéntelo al gusto.

Aderece la ensalada con el aliño y mezcle bien los ingredientes. Si lo desea, decórela con la menta. Sírvala.

ensalada tibia de pasta

para 4 personas

ingredientes

225 g de lazos secos u otro tipo de pasta

6 tomates secos, en aceite, escurridos y
    troceados

4 cebolletas troceadas

55 g de rúcula

½ pepino sin las semillas y cortado
    en dados

sal y pimienta

para el aliño

4 cucharadas de aceite de oliva

1 cucharada de vinagre de vino blanco

½ cucharadita de azúcar extrafino

1 cucharadita de mostaza de Dijon

sal y pimienta

4 hojas de albahaca fresca bien
    desmenuzadas

Para preparar el aliño, bata el aceite, el vinagre, el azúcar y la mostaza en un tarro con tapa de rosca. Salpimiéntelo todo al gusto y añada la albahaca.

Lleve a ebullición agua con un poco de sal en una cacerola grande de fondo pesado. Añada la pasta y, cuando rompa de nuevo el hervor, cuézala de 8 a 10 minutos, o hasta que esté al dente. Escúrrala y pásela a una ensaladera. Aderécela con el aliño y mézclela bien.

Incorpore el tomate, la cebolleta, la rúcula y el pepino, y salpimiéntelo todo al gusto. Sirva la ensalada tibia.

ensalada a la italiana

para 4 personas

ingredientes

225 g de conchiglie secos

50 g de piñones

350 g de tomates cherry partidos
   por la mitad

1 pimiento rojo sin las semillas y cortado
   en tiras finas

1 cebolla roja picada

200 g de mozzarella de búfala cortada
   en trozos pequeños

12 aceitunas negras sin hueso

25 g de hojas de albahaca fresca

virutas de parmesano fresco, para decorar

pan, para acompañar

para el aliño

5 cucharadas de aceite de oliva
   virgen extra

2 cucharadas de vinagre balsámico

1 cucharada de albahaca fresca picada

sal y pimienta

Lleve a ebullición agua con un poco de sal en una cacerola grande. Añada la pasta y cuézala a fuego medio unos 10 minutos, o el tiempo indicado en el envase, hasta que esté al dente.

Mientras hierve la pasta, ponga los piñones en una sartén y tuéstelos a fuego lento de 1 a 2 minutos hasta que se doren. Retírelos del fuego, páselos a un plato y déjelos enfriar. A continuación, escurra la pasta, pásela bajo el grifo, escúrrala de nuevo y déjela enfriar.

Para preparar el aliño, ponga el aceite, el vinagre y la albahaca en un cuenco pequeño. Salpimiéntelo y mézclelo bien. Tápelo con film transparente y resérvelo.

Para montar el plato, distribuya la pasta en 4 cuencos. Agregue los piñones, el tomate, el pimiento, la cebolla, el queso y las aceitunas. Reparta las hojas de albahaca y aderece la ensalada con el aliño. Decórela con las virutas de parmesano y sírvala con pan crujiente.

ensalada de patata

para 4 personas

ingredientes

700 g de patatas nuevas

8 cebolletas

250 ml de mayonesa

1 cucharadita de pimentón dulce

sal y pimienta

2 cucharadas de cebollino fresco cortado
   en segmentos cortos

una pizca de pimentón, para decorar

Lleve a ebullición agua con un poco de sal en una cacerola grande. Añada las patatas y cuézalas de 10 a 15 minutos, o hasta que empiecen a estar tiernas.

Escurra las patatas y enfríelas bajo el grifo. Escúrralas de nuevo. Póngalas en un cuenco y resérvelas.

Con un cuchillo afilado, corte las cebolletas en rodajas finas al bies.

En un cuenco, mezcle la mayonesa y el pimentón, y salpiméntelo todo al gusto. Vierta la mezcla sobre las patatas. Agregue la cebolleta y remueva bien los ingredientes para que se empapen de la salsa.

Pase la ensalada de patata a una ensaladera y decórela con el cebollino y una pizca de pimentón. Tápela y déjela en el frigorífico hasta el momento de servirla.

ensalada Capri

para **4** personas

ingredientes

2 tomates de Montserrat

125 g de mozzarella

12 aceitunas negras

8 hojas de albahaca fresca

1 cucharada de vinagre balsámico

1 cucharada de aceite de oliva
   virgen extra

sal y pimienta

hojas de albahaca fresca, para decorar

Con un cuchillo afilado, corte los tomates en rodajas finas. Si es necesario, escurra la mozzarella y, después, córtela en rodajas. A continuación, deshuese las aceitunas, si es preciso, y después, córtelas en aros.

Forme 4 montoncitos con capas de rodajas de tomate, mozzarella, aceitunas y albahaca, y termine con una capa de queso.

Ponga los montoncitos bajo el grill caliente de 2 a 3 minutos, o hasta que se funda la mozzarella.

Alíñelos con el vinagre y el aceite, y salpimiéntelos al gusto.

Emplate los montoncitos de tomate y mozzarella, y decórelos con unas hojas de albahaca. Sírvalos enseguida.

consistentes

ensaladas de carne y aves

ensalada de pollo Waldorf

para 4 personas

ingredientes

500 g de manzanas rojas cortadas
   en dados

3 cucharadas de zumo de limón
   recién exprimido

150 ml de mayonesa

1 tallo de apio

4 chalotes cortados en rodajas

1 diente de ajo majado

90 g de nueces troceadas

500 g de carne magra de pollo cocida
   y cortada en dados

1 lechuga romana

pimienta

nueces troceadas, para decorar

Ponga la manzana en un cuenco con el zumo y 1 cucharada de mayonesa. Resérvela 40 minutos como mínimo.

Corte el apio en rodajas muy finas. Añádalo a la manzana junto con el chalote, el ajo y las nueces. Mézclelo todo, agregue el resto de la mayonesa y remueva bien.

Incorpore el pollo y mézclelo con el resto de los ingredientes.

Cubra una ensaladera o cuencos individuales con la lechuga. Apile la ensalada de pollo encima, sazónela con pimienta y decórela con las nueces.

ensalada del chef

para 6 personas

ingredientes

1 lechuga iceberg troceada

175 g de jamón magro cocido cortado
    en tiras finas

175 g de lengua cocida cortada
    en tiras finas

350 g de pollo cocido cortado
    en tiras finas

175 g de queso gruyer

4 tomates cortados en cuartos

3 huevos duros pelados y cortados
    en cuartos

400 ml de salsa mil islas

rebanadas de pan, para acompañar

Disponga un lecho de lechuga en una fuente grande. Reparta el jamón, la lengua y el pollo por encima de manera decorativa.

Corte el gruyer en dados.

Cubra la ensalada con el queso y reparta el tomate y el huevo alrededor de la fuente. Sirva la ensalada enseguida acompañada de la salsa mil islas y el pan.

jamón con melón y espárragos

para 4 personas

ingredientes

225 g de espárragos
1 melón galia o cantalupo pequeño
    o ½ de tamaño mediano
55 g de jamón de Parma o serrano cortado
    en lonchas finas
150 g de hojas de ensalada variadas
    y envasadas, como una ensalada
    de hierbas con rúcula
85 g de frambuesas frescas
1 cucharada de virutas de parmesano
    recién cortadas

para el aliño

1 cucharada de vinagre balsámico
2 cucharadas de vinagre de frambuesa
2 cucharadas de zumo de naranja

Limpie los espárragos y corte los más largos por la mitad. Cuézalos en agua con un poco de sal a fuego medio durante 5 minutos, o hasta que estén tiernos. Escúrralos, sumérjalos en agua fría, escúrralos de nuevo y resérvelos.

Parta el melón por la mitad y retire las semillas con la ayuda de una cuchara. Córtelo en tajadas pequeñas y deseche la corteza. Separe las lonchas de jamón, córtelas por la mitad y envuelva el melón con ellas.

Disponga las hojas de ensalada en el fondo de una fuente grande y cúbralas con las tajadas de melón con jamón y los espárragos.

Reparta las frambuesas y las virutas de parmesano sobre la superficie. Vierta los dos tipos de vinagre y el zumo en un tarro con tapa de rosca y agítelo todo hasta obtener una mezcla homogénea. Aderece la ensalada con el aliño y sírvala.

niçoise tibia con solomillo de ternera

para 4 personas

ingredientes

4 filetes de solomillo de ternera de unos
115 g cada uno, sin grasa
2 cucharadas de vinagre de vino tinto
2 cucharadas de zumo de naranja
2 cucharaditas de mostaza inglesa envasada
2 huevos
175 g de patatas nuevas
115 g de judías verdes limpias
175 g de hojas de ensalada variadas, como
brotes de espinaca, rúcula y mizuna
1 pimiento amarillo pelado y cortado
en tiras
175 g de tomates cherry partidos
por la mitad
aceitunas negras sin hueso, para decorar
(opcionales)
2 cucharaditas de aceite de oliva
virgen extra
pimienta

Ponga los filetes en un plato llano. Mezcle el vinagre con
1 cucharada de zumo de naranja y 1 cucharadita de mostaza.
Vierta la mezcla sobre la carne, tápela y marínela en el frigorífico
al menos 30 minutos. Transcurridos 15 minutos, dele la vuelta.

Ponga los huevos en una cacerola y cúbralos con agua fría.
Cuando rompa el hervor, baje el fuego y cueza los huevos
durante 10 minutos. Retírelos y sumérjalos en agua fría. Una vez
fríos, pélelos y resérvelos.

Mientras tanto, ponga las patatas en una cacerola y cúbralas con
agua fría. Lleve el agua a ebullición, tape la cacerola y cueza las
patatas a fuego lento durante 15 minutos, o hasta que estén tiernas
al pincharlas con un tenedor. Escúrralas y resérvelas.

Lleve agua a ebullición en una cacerola, añada las judías
y cuézalas durante 5 minutos, o hasta que empiecen a estar
tiernas. Escúrralas, sumérjalas en agua fría y escúrralas de nuevo.
Disponga las patatas y las judías sobre las hojas de ensalada junto
con el pimiento, el tomate y, si lo desea, las aceitunas. Mezcle el
zumo y la mostaza restantes con el aceite y reserve el aliño.

Caliente una parrilla hasta que humee. Escurra los filetes y áselos
de 3 a 5 minutos por cada lado, según el punto deseado. Corte la
carne en tiras y póngalas encima de la ensalada. Aderécela con
el aliño y un poco de pimienta, y sírvala enseguida.

ensalada de pollo al estilo cajún

para 4 personas

ingredientes

4 pechugas de pollo deshuesadas y sin
   piel de unos 140 g cada una
4 cucharaditas de aderezo cajún
2 cucharaditas de aceite de girasol
   (opcional)
1 mango maduro pelado, deshuesado
   y cortado en tiras gruesas
200 g de hojas de ensalada variadas
1 cebolla roja cortada por la mitad
   y en rodajas finas
175 g de remolacha cocida cortada
   en dados
85 g de rabanitos cortados en rodajas
55 g de nueces en mitades
2 cucharadas de semillas de sésamo,
   para decorar

para el aliño

4 cucharadas de aceite de nuez
1-2 cucharaditas de mostaza de Dijon
1 cucharada de zumo de limón
sal y pimienta

Realice 3 cortes al bies en cada una de las pechugas. Póngalas en una fuente llana y sazónelas con el aderezo cajún. Tápelas y guárdelas en el frigorífico durante 30 minutos como mínimo.

Transcurrido el tiempo de la marinada, prepare una parrilla y, si lo desea, píntela con el aceite. Caliéntela a fuego vivo hasta que al salpicarla con unas gotas de agua éstas crepiten de inmediato. Ase las pechugas de 7 a 8 minutos por cada lado, o hasta que estén bien hechas. Si quedan rosadas por dentro, prolongue un poco más la cocción. Retírelas y resérvelas.

Ponga el mango en la parrilla y áselo 2 minutos por cada lado. Retírelo y resérvelo.

Disponga las hojas de ensalada en una ensaladera y cúbralas con la cebolla, la remolacha, el rabanito y las nueces.

Ponga el aceite de nuez, la mostaza, el zumo, sal y pimienta al gusto en un tarro con tapa de rosca y agítelo todo hasta obtener una mezcla homogénea. Aderece la ensalada con el aliño.

Emplate el mango y la ensalada y cúbralos con las pechugas de pollo. Decore el plato con las semillas de sésamo.

ensalada de rosbif

para 4 personas

ingredientes

750 g de solomillo de ternera sin grasa

pimienta al gusto

2 cucharaditas de salsa Worcestershire

3 cucharadas de aceite de oliva

400 g de judías verdes

100 g de pasta seca para ensalada,
    tipo orecchiette

2 cebollas rojas cortadas en rodajas finas

1 cogollo grande de achicoria roja

50 g de aceitunas verdes sin hueso

50 g de avellanas enteras peladas

para el aliño

1 cucharadita de mostaza de Dijon

2 cucharadas de vinagre de vino blanco

5 cucharadas de aceite de oliva

Precaliente el horno a 220 °C. Unte el lomo con pimienta al gusto y la salsa Worcestershire. Caliente 2 cucharadas de aceite a fuego vivo en una fuente para asar pequeña y selle la carne por todos lados. Introduzca la fuente en el horno precalentado y ase el solomillo durante 30 minutos. Retírelo y déjelo enfriar.

Lleve agua a ebullición en una cacerola grande, añada las judías y hiérvalas 5 minutos, o hasta que empiecen a estar tiernas. Retírelas con una espumadera y refrésquelas bajo el grifo con agua fría. Escúrralas y póngalas en un cuenco grande.

Cuando el líquido de cocción de las judías rompa de nuevo a hervir, eche la pasta y cuézala durante 11 minutos, o hasta que esté al dente. Escúrrala, póngala de nuevo en la cacerola y remuévala junto con el aceite restante.

Agregue la pasta a las judías junto con la cebolla, la achicoria, las aceitunas y las avellanas, mézclelo todo con cuidado y páselo a una ensaladera o una fuente grandes. A continuación, cubra la ensalada con una parte del rosbif cortado en filetes finos.

Bata los ingredientes del aliño en un cuenco, viértalo sobre la ensalada y sírvala enseguida con más filetes de rosbif.

ensalada de nueces, pera y beicon crujiente

para 4 personas

ingredientes

4 lonchas de beicon magro

75 g de nueces en mitades

2 peras Red William descorazonadas
   y cortadas en rebanadas longitudinales

1 cucharada de zumo de limón

175 g de berros sin los tallos más duros

para el aliño

3 cucharadas de aceite de oliva
   virgen extra

2 cucharadas de zumo de limón

½ cucharadita de miel clara

sal y pimienta

Precaliente el grill a la temperatura máxima. Disponga el beicon en una bandeja forrada con papel de aluminio y áselo bajo el grill hasta que esté bien dorado y crujiente. Resérvelo y, una vez frío, córtelo en trozos de 1 cm.

Mientras tanto, caliente una sartén a fuego medio y tueste un poco las nueces, sacudiendo la sartén a menudo, durante 3 minutos, o hasta que empiecen a dorarse. Déjelas enfriar.

Bañe las peras con el zumo para evitar que se oxiden. Ponga los berros, las nueces, las peras y el beicon en una ensaladera.

Para preparar el aliño, bata el aceite junto con el zumo y la miel en un cuenco pequeño o una salsera. Salpimiéntelo al gusto y viértalo sobre la ensalada. Mezcle bien los ingredientes y sirva enseguida.

ensalada tibia de higadillos de pollo

para **4 personas**

ingredientes

hojas de ensalada

1 cucharada de aceite de oliva

1 cebolla pequeña bien picada

450 g de higadillos de pollo,

   descongelados si no son frescos

1 cucharadita de estragón fresco picado

1 cucharadita de mostaza de grano entero

2 cucharadas de vinagre balsámico

sal y pimienta

Disponga las hojas de ensalada en 4 platos.

Caliente el aceite en una sartén antiadherente, añada la cebolla y sofríala durante 5 minutos, o hasta que esté tierna. Agregue los higadillos, el estragón y la mostaza, y rehóguelo todo de 3 a 5 minutos, sin dejar de remover, hasta que los higadillos estén tiernos. Cubra las hojas de ensalada con esta mezcla.

Añada el vinagre, sal y pimienta a la sartén y caliéntelo todo, sin dejar de remover, hasta que se desprendan los sedimentos de la base. Vierta el aliño sobre los higadillos y sirva la ensalada tibia.

ensalada de jamón
y alcachofas

para 4 personas

ingredientes

275 g de corazones de alcachofa en aceite
    escurridos
4 tomates pequeños
25 g de tomates secos en aceite escurridos
40 g de jamón de Parma o serrano
25 g de aceitunas negras sin hueso
    partidas por la mitad
un manojo de ramitas de albahaca fresca
pan crujiente, para acompañar

para el aliño

3 cucharadas de aceite de oliva
1 cucharada de vinagre de vino blanco
1 diente de ajo majado
½ cucharadita de mostaza suave
1 cucharadita de miel clara
sal y pimienta al gusto

Escurra muy bien las alcachofas, córtelas en cuartos y póngalas en una ensaladera. Parta los tomates frescos en gajos y los secos en tiras finas. Corte el jamón en tiras finas y añádalo a la ensaladera junto con los dos tipos de tomate y las aceitunas.

Guarde unas cuantas ramitas de albahaca para decorar la ensalada. Trocee el resto de las hojas y añádalas a los ingredientes de la ensaladera.

Para preparar el aliño, ponga todos los ingredientes en un tarro con tapa de rosca y agítelo hasta obtener una mezcla homogénea.

Aderece la ensalada con el aliño y mézclela bien. Decórela con la albahaca reservada y sírvala acompañada de pan.

ensalada de judiones, cebolla y hierbas con chorizo

para 2 personas

ingredientes

1 cucharada de aceite de girasol

1 cebolla pequeña cortada en rodajas finas

250 g de judiones en conserva, escurridos
   y lavados

1 cucharadita de vinagre balsámico

2 chorizos cortados en rodajas al bies

1 tomate pequeño cortado en dados

2 cucharadas de salsa harissa

85 g de ensalada de hierbas variadas

Caliente el aceite en una sartén antiadherente a fuego medio, añada la cebolla y sofríala, removiendo a menudo, hasta que esté tierna pero no dorada. Añada los judiones y prosiga la cocción durante 1 minuto. Vierta el vinagre, remuévalo todo bien y mantenga la mezcla caliente.

Mientras tanto, caliente una sartén limpia a fuego medio, ponga el chorizo y áselo, dándole la vuelta de vez en cuando, hasta que empiece a dorarse. Retírelo con una espumadera y déjelo escurrir sobre papel de cocina.

Mezcle el tomate y la salsa harissa en un cuenco pequeño. Reparta la ensalada de hierbas en 2 platos y cúbrala con la mezcla de judías y el chorizo. Termine el plato con una cucharada de la mezcla de tomate y harissa, y sirva la ensalada enseguida.

ensalada de pavo y arroz

para 4 personas

ingredientes

1 litro de caldo de pollo

175 g de una mezcla de arroz de grano
   largo y arroz salvaje

2 cucharadas de aceite de girasol
   o de maíz

225 g de pechugas de pavo deshuesadas,
   sin piel ni grasa y cortadas en tiras

225 g de tirabeques

115 g de setas de cardo troceadas

55 g de pistachos pelados y bien picados

2 cucharadas de cilantro fresco picado

1 cucharada de ajos tiernos frescos
   recortados

sal y pimienta

1 cucharada de vinagre balsámico

ajos tiernos frescos, para decorar

Reserve 3 cucharadas del caldo y lleve el resto a ebullición
en una cacerola grande. Añada el arroz y cuézalo 30 minutos,
o hasta que esté tierno. Escúrralo y déjelo enfriar un poco.

Mientras tanto, caliente 1 cucharada de aceite en un wok
o una sartén precalentados. Saltee el pavo a fuego medio
de 3 a 4 minutos, o hasta que esté hecho. Retírelo con una
espumadera y páselo a un plato. Añada los tirabeques y las setas
al wok y saltéelos durante 1 minuto. Vierta el caldo reservado,
llévelo a ebullición, baje el fuego y cuézalo, tapado, de 3 a
4 minutos. Pase las hortalizas al plato y deje que se enfríen
un poco.

Mezcle bien el arroz, el pavo, los tirabeques, las setas, los
pistachos, el cilantro y los ajos tiernos, y salpiméntelo todo.
Aliñe la ensalada con el aceite restante y el vinagre, y decórela
con los ajos tiernos. Sírvala tibia.

ensalada de pollo ahumado y arándanos

para 4 personas

ingredientes

1 pollo ahumado de 1,3 kg

115 g de arándanos secos

2 cucharadas de zumo de manzana o agua

200 g de tirabeques

2 aguacates maduros

el zumo de ½ limón

4 cogollos de lechuga

1 manojo de berros limpios

55 g de rúcula

para el aliño

2 cucharadas de aceite de oliva

1 cucharada de aceite de nueces

2 cucharadas de zumo de limón

1 cucharada de hierbas frescas picadas,
    como perejil y tomillo limonero

sal y pimienta

Trinche el pollo con cuidado y corte la carne blanca en lonchas. Separe los muslos de las patas y recorte las alas. Tape la carne con film transparente y guárdela en el frigorífico.

Ponga los arándanos en un cuenco. Cúbralos con el zumo, tápelos con film transparente y déjelos en remojo durante 30 minutos.

Mientras tanto, blanquee los tirabeques, refrésquelos bajo el grifo con agua fría y escúrralos.

Pele, descorazone y rebane los aguacates, y rocíelos con el zumo de limón para evitar que se oxiden.

Separe las hojas de los cogollos y dispóngalas en una fuente grande junto con el aguacate, los tirabeques, los berros, la rúcula y el pollo.

Ponga todos los ingredientes del aliño en un tarro con tapa de rosca, salpimiéntelos y agítelos hasta obtener una mezcla homogénea.

Escurra los arándanos, mézclelos con el aliño y viértalos sobre la ensalada. Sírvala enseguida.

ensalada de melón, chorizo y alcachofa

para 8 personas

ingredientes

12 alcachofas pequeñas

el zumo de ½ limón

2 cucharadas de aceite de oliva

1 melón pequeño de pulpa naranja,
   como cantalupo

200 g de chorizo sin piel

ramitas de estragón o perejil frescos,
   para decorar

para el aliño

3 cucharadas de aceite de oliva
   virgen extra

1 cucharada de vinagre de vino tinto

1 cucharadita de mostaza preparada

1 cucharada de estragón fresco picado

sal y pimienta

Corte las alcachofas en cuartos y píntelas con el zumo para que no se oxiden.

Caliente el aceite en una sartén grande de fondo pesado. Añada la alcachofa y fríala, dándole la vuelta a menudo, durante 5 minutos, o hasta que las hojas se doren. Retírela de la sartén, pásela a una fuente y deje que se enfríe.

Para preparar el melón, pártalo por la mitad y retire las semillas con una cuchara. Corte la pulpa en dados y añádala a la alcachofa. Corte el chorizo en rodajas y agréguelo a la mezcla anterior.

Para preparar el aliño, ponga todos los ingredientes en un cuenco pequeño y bátalos. En el momento de servir, viértalo sobre la ensalada y mézclela bien. Sírvala decorada con las ramitas de estragón o perejil.

ensalada de pollo en capas

para 4 personas

ingredientes

750 g de patatas nuevas raspadas

1 pimiento rojo cortado por la mitad
   y sin las semillas

1 pimiento verde cortado por la mitad
   y sin las semillas

2 calabacines pequeños cortados
   en rodajas

1 cebolla pequeña cortada en rodajas finas

3 tomates cortados en rodajas

350 g de pollo cocido y fileteado

cebollino fresco recortado, para decorar

para el aliño

150 ml de yogur natural

3 cucharadas de mayonesa

1 cucharada de cebollino fresco recortado

sal y pimienta

Ponga las patatas en una cacerola grande, cúbralas con agua y llévelas a ebullición. Baje el fuego, tape la cacerola y cueza las patatas de 15 a 20 minutos, hasta que estén tiernas. Mientras tanto, ponga los pimientos bajo el grill precalentado con la piel hacia arriba y áselos hasta que ésta ennegrezca y empiece a chamuscarse.

Retire los pimientos con unas pinzas, póngalos en un cuenco y tápelos con film transparente. Resérvelos hasta que pueda manejarlos, pélelos y corte la pulpa en rodajas.

Lleve a ebullición agua con un poco de sal. Añada el calabacín y, cuando el agua rompa de nuevo a hervir, cuézalo durante 3 minutos. Escúrralo, lávelo bajo el grifo con agua fría para detener la cocción y escúrralo de nuevo. Resérvelo.

Para preparar el aliño, bata el yogur junto con la mayonesa y el cebollino en un cuenco pequeño hasta obtener una mezcla homogénea. Salpiméntelo al gusto.

Cuando las patatas estén tiernas, escúrralas, deje que se enfríen y córtelas en rodajas. Añádalas al aliño y remuévalas con cuidado para que se empapen bien. Repártalas en 4 platos y cúbralas con la parte proporcional de pimiento y de calabacín. Añada la cebolla y el tomate y, por último, el pollo. Decore la ensalada con el cebollino y sírvala enseguida.

ensalada de pasta con rosbif a la inglesa

ingredientes

sal y pimienta

450 g de cadera o entrecot de ternera
en una sola pieza

450 g de espirales secas

4 cucharadas de aceite de oliva

2 cucharadas de zumo de lima

2 cucharadas de salsa de pescado
tailandesa

2 cucharaditas de miel clara

4 cebolletas cortadas en rodajas

1 pepino pelado y cortado en dados
de 2,5 cm de lado

3 tomates cortados en gajos

1 cucharada de menta fresca bien picada

Salpimiente la carne. Ásela a la parrilla o fríala en la sartén 4 minutos por cada lado. Déjela reposar 5 minutos y córtela en lonchas finas en sentido contrario al nervio.

Mientras tanto, lleve a ebullición agua con un poco de sal en una cacerola grande. Añada la pasta y, cuando el agua rompa de nuevo a hervir, cuézala de 8 a 10 minutos, o hasta que esté al dente. Escurra las espirales, refrésquelas bajo el grifo con agua fría y escúrralas de nuevo. Remuévalas junto con el aceite y resérvelas.

Mezcle el zumo, la salsa de pescado y la miel en una cacerola pequeña, y cuézalos durante 2 minutos a fuego medio.

Añada a la cacerola la cebolleta, el pepino, el tomate, la menta y, por último, la carne. Mézclelo bien todo y sazone con sal al gusto.

Pase las espirales a una fuente tibia y cúbralas con la mezcla de carne y hortalizas. Sirva la ensalada tibia o deje que se enfríe por completo.

ensalada de pato asado

para 4 personas

ingredientes

2 pechugas de pato

2 cogollos con las hojas troceadas

115 g de brotes de soja

1 pimiento amarillo sin las semillas
    y cortado en tiras finas

½ pepino sin las semillas y cortado
    en bastoncillos

2 cucharaditas de ralladura de lima

2 cucharadas de coco rallado tostado

para el aliño

el zumo de 2 limas

3 cucharadas de salsa de pescado

1 cucharada de azúcar moreno granulado

2 cucharaditas de salsa de guindilla dulce

un trozo de raíz de jengibre fresco
    de 2,5 cm rallado fino

3 cucharadas de menta fresca picada

3 cucharadas de albahaca fresca picada

Precaliente el horno a 200 °C. Ponga las pechugas sobre una rejilla colocada sobre una bandeja de horno y áselas de 20 a 30 minutos, o hasta que alcancen el punto de cocción deseado y la piel esté crujiente. Retírelas del horno y deje que se enfríen.

En un cuenco grande, mezcle los cogollos, los brotes de soja, el pimiento y el pepino. Corte la carne de pato en lonchas y añádalas a la ensalada. Mezcle bien todos los ingredientes.

Para preparar el aliño, bata el zumo, la salsa de pescado, el azúcar, la salsa de guindilla, el jengibre, la menta y la albahaca en un cuenco. Aliñe la ensalada y mézclela bien.

Pase la ensalada a una ensaladera, decórela con la ralladura de lima y de coco, y sírvala.

ensalada tibia de setas, espinacas y panceta

para 4 personas

ingredientes

275 g de brotes de espinaca

2 cucharadas de aceite de oliva

150 g de panceta

280 g de setas silvestres variadas cortadas
en láminas

para el aliño

5 cucharadas de aceite de oliva

1 cucharada de vinagre balsámico

1 cucharadita de mostaza de Dijon

una pizca de azúcar

sal y pimienta

Para preparar el aliño, ponga el aceite, el vinagre, la mostaza, el azúcar, la sal y la pimienta en un cuenco pequeño, y bátalo todo bien. Lave las espinacas bajo el grifo, escúrralas y póngalas en una ensaladera grande.

Caliente el aceite en una sartén grande. Añada la panceta y fríala 3 minutos. Agregue las setas y prosiga la cocción de 3 a 4 minutos, o hasta que estén tiernas.

Vierta el aliño sobre los ingredientes de la sartén e incorpórelos a las espinacas. Mezcle bien los ingredientes para que se impregnen de aliño y sirva la ensalada enseguida.

espinacas con beicon crujiente

para 4 personas

ingredientes

4 cucharadas de aceite de oliva

4 lonchas de beicon entreverado cortado
  en dados

1 rebanada gruesa de pan sin la corteza
  y cortado en dados

450 g de espinacas frescas troceadas
  o cortadas en juliana

Caliente 2 cucharadas de aceite a fuego vivo en una sartén grande. Añada el beicon y fríalo de 3 a 4 minutos, o hasta que esté crujiente. Retírelo con una espumadera, escúrralo bien y resérvelo.

Fría el pan en el aceite de la sartén unos 4 minutos a fuego vivo, o hasta que esté crujiente y dorado. Retire los picatostes con una espumadera, escúrralos bien y resérvelos.

Vierta el resto del aceite en la sartén y caliéntelo. Rehogue las espinacas a fuego vivo durante unos 3 minutos, o hasta que empiecen a ablandarse. Páselas a una ensaladera y cúbralas con el beicon y los picatostes. Sírvalas enseguida.

ensalada de pollo
al estilo tailandés

para 4 personas

ingredientes

400 g de patatas nuevas pequeñas
    raspadas y cortadas por la mitad a
    lo largo
200 g de mazorquitas de maíz
150 g de brotes de soja
3 cebolletas limpias y cortadas en rodajas
4 pechugas de pollo cocidas, sin la piel
    y fileteadas
1 cucharada de hierba de limón picada
2 cucharadas de cilantro fresco picado
sal y pimienta
gajos de lima, para decorar
hojas de cilantro fresco, para decorar

para el aliño

6 cucharadas de aceite de guindilla
    o de sésamo
2 cucharadas de zumo de lima
1 cucharada de salsa de soja clara
1 cucharada de cilantro fresco picado
1 guindilla roja pequeña sin las semillas
    y cortada en rodajas finas

Lleve agua a ebullición en dos cacerolas. Ponga las patatas en una de ellas y cuézalas 15 minutos, hasta que estén tiernas. Ponga las mazorquitas en la otra y hiérvalas 5 minutos, hasta que estén tiernas. Escurra las patatas y las mazorquitas y deje que se enfríen.

Cuando las hortalizas se hayan enfriado, páselas a una ensaladera. Añada los brotes de soja, la cebolleta, el pollo, la hierba de limón y el cilantro, y salpimiéntelo todo.

Para preparar el aliño, ponga todos los ingredientes en un tarro con tapa de rosca y agítelos bien hasta obtener una mezcla homogénea. Si lo prefiere, mézclelos bien en un cuenco. Aderece la ensalada con el aliño y decórela con los gajos de lima y las hojas de cilantro. Sírvala enseguida.

ensalada de pechuga de pato y rabanitos

para 4 personas

ingredientes

350 g de pechugas de pato deshuesadas

2 cucharadas de harina

sal y pimienta

1 huevo

2 cucharadas de agua

2 cucharadas de semillas de sésamo

3 cucharadas de aceite de sésamo

½ cogollo de col rizada con las hojas
  desmenuzadas

3 tallos de apio cortados en rodajas finas

8 rabanitos limpios y cortados por la mitad

hojas de albahaca fresca, para decorar

para el aliño

la ralladura fina de 1 lima

2 cucharadas de zumo de lima

2 cucharadas de aceite de oliva

1 cucharada de salsa de soja clara

1 cucharada de albahaca fresca picada

sal y pimienta

Ponga cada una de las pechugas entre dos hojas de papel parafinado o film transparente. Con un mazo para carne o un rodillo de cocina, golpéelas y aplánelas un poco.

Espolvoree la harina en un plato y salpimiéntela. Bata el huevo junto con el agua en un cuenco. Esparza las semillas de sésamo en otro plato.

Pase las pechugas por la harina condimentada, luego por la mezcla de huevo y, finalmente, por las semillas de sésamo, de modo que la carne quede rebozada uniformemente. Caliente el aceite de sésamo en un wok precalentado o una sartén grande.

Fría las pechugas a fuego medio durante unos 8 minutos, dándoles la vuelta una vez. Para saber si están hechas, pinche la parte más gruesa con un cuchillo afilado y compruebe si suelta un líquido claro. Retírelas del wok o la sartén y déjelas escurrir sobre papel de cocina.

Para preparar el aliño, bata la ralladura y el zumo de lima junto con el aceite, la salsa de soja y la albahaca. Salpimiéntelo.

Disponga la col, el apio y los rabanitos en una ensaladera. Corte las pechugas rebozadas en lonchas finas y repártalas encima de las hortalizas. Aliñe la ensalada y decórela con la albahaca. Sírvala enseguida.

ensalada de pollo, queso y rúcula

ingredientes

150 g de rúcula

2 tallos de apio limpios y cortados
   en rodajas

½ pepino cortado en rodajas

2 cebolletas limpias y cortadas en rodajas

2 cucharadas de perejil fresco picado

25 g de nueces en mitades

350 g de pollo asado deshuesado y
   fileteado

125 g de queso stilton cortado en dados

un racimo de uvas rojas sin semillas
   cortadas por la mitad (opcional)

sal y pimienta

para el aliño

2 cucharadas de aceite de oliva

1 cucharada de vinagre de jerez

1 cucharadita de mostaza de Dijon

1 cucharada de hierbas variadas picadas

Lave la rúcula, séquela con papel de cocina y póngala en una fuente grande. Añada el apio, el pepino, la cebolleta, el perejil y las nueces, y mézclelo todo bien. Pase los ingredientes a una ensaladera y cúbralos con el pollo y el queso. Si lo desea, agregue también las uvas. Salpimiente la ensalada.

Para preparar el aderezo, ponga todos los ingredientes en un tarro con tapa de rosca y agítelos bien. Si lo prefiere, mézclelos en un cuenco. Aderece la ensalada con el aliño y sírvala.

cordero asado con aliño de yogur y hierbas

para 4 personas

ingredientes

2 cucharadas de aceite de girasol
 y un poco más para asar el cordero
1 cucharada de tomate triturado
$\frac{1}{2}$ cucharada de comino molido
1 cucharadita de zumo de limón
1 diente de ajo majado
una pizca de cayena
sal y pimienta
500 g de filetes de cuello de cordero
 limpios y sin grasa visible
semillas de sésamo tostadas y perejil fresco
 picado, para decorar

para el aliño

2 cucharadas de zumo de limón recién
 exprimido
1 cucharadita de miel clara
75 g de yogur griego
2 cucharadas de menta fresca cortada
 en juliana
2 cucharadas de perejil fresco picado
1 cucharada de cebollino fresco recortado
sal y pimienta

Mezcle el aceite, el tomate, el comino, el zumo, el ajo, la cayena, y la sal y la pimienta al gusto en un cuenco que no sea metálico. Añada los filetes y úntelos con la marinada. Tape el cuenco y deje marinar la carne en el frigorífico durante 2 horas como mínimo y, si es posible, toda la noche.

Mientras tanto, para preparar el aliño, bata el zumo y la miel hasta que esta última se disuelva. Agregue el yogur y bátalo hasta obtener una mezcla homogénea. Incorpore las hierbas y salpimiéntelo todo al gusto. Tápelo y guárdelo en el frigorífico.

Retire la carne del frigorífico 15 minutos antes de empezar a prepararla. Caliente el grill a la temperatura máxima y pinte la rejilla del horno con aceite. Ase los filetes, dándoles la vuelta una vez, 10 minutos si le gusta la carne al punto o 12 si la prefiere muy hecha. Deje que se enfríen por completo, tápelos y guárdelos en el frigorífico.

Corte los filetes de cordero en lonchas finas y repártalas en 4 platos. Rectifique el punto del aliño, y viértalo sobre la carne con la ayuda de una cuchara. Decore el plato con las semillas de sésamo y el perejil, y sírvalo.

ensalada de pollo ahumado con aliño de aguacate y estragón

para 4-6 personas

ingredientes

2 tomates de Montserrat grandes y jugosos
    cortados en rodajas

600 g de pollo ahumado sin la piel
    y cortado en rodajas

250 g de berros frescos sin los tallos
    más gruesos ni las hojas amarillentas,
    lavados y secos

75 g de brotes de soja frescos, remojados
    20 minutos en agua fría, escurridos
    y secados con papel de cocina

hojas de varias ramitas de perejil o cilantro
    frescos

para el aliño

1 aguacate maduro y blando

2 cucharadas de zumo de limón

1 cucharada de vinagre al estragón

75 g de yogur griego

1 diente de ajo pequeño majado

1 cucharada de hojas de estragón frescas
    picadas

sal y pimienta

Para preparar el aliño, ponga el aguacate, el zumo y el vinagre en una batidora o un robot de cocina y tritúrelo todo hasta obtener una mezcla homogénea; rebañe las paredes del recipiente con una espátula de goma. Añada el yogur, el ajo y el estragón, y tritúrelo todo de nuevo. Salpimiéntelo al gusto y póngalo en un cuenco. Tápelo bien con film transparente y guárdelo 2 horas en el frigorífico.

Para montar la ensalada, reparta las rodajas de tomate en 4 o 6 platos. Mezcle el pollo, los berros, los brotes de soja y el perejil o el cilantro. Reparta los ingredientes de la ensalada entre los platos.

Rectifique el punto del aliño. Viértalo sobre la ensalada con la ayuda de una cuchara y sírvala.

ensalada de carne de cerdo y calabaza al horno

para 4-6 personas

ingredientes

1 calabaza pequeña de 1,6 kg
   aproximadamente cortada por la mitad
   y sin las semillas
2 cebollas rojas cortadas en gajos
aceite de oliva
100 g de judías verdes sin las puntas
   y cortadas por la mitad
600 g de carne de cerdo asada sin piel
   ni corteza y troceada
un buen manojo de rúcula fresca
100 g de queso feta escurrido y
   desmenuzado
2 cucharadas de piñones tostados
2 cucharadas de perejil fresco picado
sal y pimienta

para la vinagreta

6 cucharadas de aceite de oliva
   virgen extra
3 cucharadas de vinagre balsámico
½ cucharadita de azúcar
½ cucharadita de mostaza de Dijon,
   inglesa o de grano entero
sal y pimienta

Precaliente el horno a 200 °C. Parta la calabaza por la mitad, retire las semillas y las fibras con la ayuda de una cuchara, y corte la pulpa en gajos de unos 4 cm de grosor. Unte la calabaza y la cebolla con el aceite, póngalas en una bandeja de horno y áselas de 25 a 30 minutos, hasta que estén tiernas pero sin perder la forma.

Mientras tanto, lleve agua con un poco de sal a ebullición en una cacerola pequeña. Añada las judías y blanquéelas 5 minutos, o hasta que estén tiernas. Escúrralas bien y refrésquelas bajo el grifo con agua fría para detener la cocción. Escúrralas de nuevo y séquelas con papel de cocina.

Retire la calabaza y la cebolla del horno cuando estén tiernas y crujientes, y deje que se enfríen por completo. Cuando la calabaza esté fría, pélela y trocéela.

Para preparar la vinagreta, ponga el aceite, el vinagre, el azúcar, la mostaza, la sal y la pimienta al gusto en un tarro con tapa de rosca y agítelo todo hasta obtener una mezcla homogénea.

Para montar la ensalada, ponga la calabaza, la cebolla, las judías, la carne, la rúcula, el queso, los piñones y el perejil en un cuenco grande, y mezcle los ingredientes con cuidado para que la calabaza no se desmenuce. Agite el aliño de nuevo, viértalo sobre la ensalada y mézclelo todo bien. Reparta la ensalada en cuencos individuales y sírvala.

ensalada de pollo asado con nata al pesto

para 4-6 personas

ingredientes

600 g de pollo cocido deshuesado, sin piel
  y cortado en trozos pequeños
3 tallos de apio picados
2 pimientos rojos grandes, pelados, en
  conserva, bien escurridos y cortados
  en rodajas
sal y pimienta
hojas de lechuga iceberg, para acompañar

para la nata al pesto

150 ml de nata fresca o agria
unas 4 cucharadas de salsa al pesto
  envasada

Para preparar el aderezo, ponga la nata en un cuenco grande, añada la salsa y bátalas. Si prefiere un sabor más intenso, añádale un poco más de pesto.

Agregue el pollo, el apio y el pimiento al cuenco, y mézclelo todo con cuidado. Salpiméntelo al gusto y mézclelo de nuevo. Tape el cuenco y guárdelo en el frigorífico.

Retire la ensalada del frigorífico 10 minutos antes de servir para que esté a temperatura ambiente. Remueva por última vez los ingredientes y emplátelos sobre un lecho de hojas de lechuga.

marineras
ensaladas de pescado y marisco

ensalada niçoise

para 4 personas

ingredientes

2 filetes de atún de unos 2 cm de grosor

aceite de oliva

sal y pimienta

250 g de judías verdes sin las puntas

125 ml de vinagreta tradicional o al ajo
envasadas

2 cogollos de lechuga con las hojas
separadas

3 huevos grandes duros y cortados
en cuartos

2 tomates en rama jugosos cortados
en gajos

50 g de filetes de anchoa en aceite
escurridos

55 g de aceitunas negras sin hueso

Caliente una parrilla de hierro acanalada a fuego vivo hasta que
la superficie desprenda calor. Pinte una de las caras de los filetes
de atún con aceite y póngalos en la parrilla por este lado. Áselos
2 minutos. Pinte la parte superior de los filetes con un poco de
aceite. Deles la vuelta con unas pinzas y salpiméntelos. Prosiga
la cocción entre 2 y 4 minutos, según el punto que prefiera. Deje
enfriar los filetes.

Mientras tanto, lleve agua con un poco de sal a ebullición en
una cacerola. Añada las judías y, cuando el agua rompa de
nuevo a hervir, cuézalas 3 minutos, o hasta que estén tiernas pero
crujientes. Escúrralas y páselas enseguida a un cuenco grande.
Cúbralas con la vinagreta, remuévalas y deje que se enfríen.

Para servir, cubra una fuente con las hojas de lechuga. Retire
las judías con una espumadera de manera que el aliño sobrante
quede en el cuenco y apílelas en el centro de la fuente. Trocee
los filetes de atún y dispóngalos encima de las judías. Distribuya
el huevo duro y el tomate alrededor de la fuente. Por último,
añada las anchoas y las aceitunas. Aderece toda la ensalada con
el aliño acumulado en el cuenco y sírvala.

ensalada de lentejas y atún

para 4 personas

ingredientes

2 tomates maduros

1 cebolla roja pequeña

400 g de lentejas en conserva escurridas

185 g de atún en conserva escurrido

2 cucharadas de cilantro fresco picado

sal y pimienta

para el aliño

3 cucharadas de aceite de oliva virgen

1 cucharada de zumo de limón

1 cucharadita de mostaza de grano entero

1 diente de ajo majado

½ cucharadita de comino molido

½ cucharadita de cilantro molido

Con un cuchillo afilado, retire las pepitas del tomate y corte la pulpa en dados pequeños. Pique bien la cebolla.

Para preparar el aliño, bata el aceite junto con el zumo, la mostaza, el ajo, el comino y el cilantro en un cuenco pequeño hasta obtener una mezcla homogénea. Resérvelo.

Mezcle la cebolla, el tomate y las lentejas en una ensaladera.

Desmenuce el atún con un tenedor e incorpórelo a la mezcla de cebolla, tomate y lentejas. Agregue el cilantro picado y mézclelo bien.

Aliñe la ensalada y salpiméntela. Sírvala enseguida.

ensalada de atún con judías verdes y blancas

para 4 personas

ingredientes

200 g de judías verdes

400 g de judías blancas pequeñas,
   en conserva, lavadas y escurridas

4 cebolletas picadas

2 filetes de atún fresco de unos 225 g cada
   uno y 2 cm de grosor

aceite de oliva, para pintar

sal y pimienta

250 g de tomates cherry partidos
   por la mitad

hojas de lechuga

ramitas de menta y perejil frescos,
   para decorar

para el aliño

un manojo de hojas de menta fresca
   troceadas

un manojo de hojas de perejil fresco
   picado

1 diente de ajo majado

4 cucharadas de aceite de oliva
   virgen extra

1 cucharada de vinagre de vino tinto

sal y pimienta

En primer lugar, prepare el aliño. Ponga la menta, el perejil, el ajo, el aceite y el vinagre en un tarro con tapa de rosca, salpimiéntelo todo al gusto y agítelo hasta obtener una mezcla homogénea. Vierta el aliño en un cuenco grande y resérvelo.

Lleve a ebullición agua con un poco de sal en una cacerola. Añada las judías verdes y cuézalas 3 minutos. Agregue las judías blancas y prosiga la cocción otros 4 minutos, hasta que las primeras estén tiernas pero crujientes y las segundas bien calientes. Escurra las judías y póngalas en el cuenco con el aliño. Agregue la cebolleta y mézclelo todo bien.

Para asar el atún, caliente una parrilla de hierro acanalada a fuego vivo. Pinte los filetes con un poco de aceite y salpiméntelos. Áselos 2 minutos, deles la vuelta y prosiga la cocción entre 2 y 4 minutos, según el punto que prefiera.

Retire los filetes de la parrilla y déjelos reposar 2 minutos o bien hasta que se enfríen por completo. En el momento de servir, añada los tomates a las judías e incorpórelos con cuidado. Forre una fuente con hojas de lechuga y apile la mezcla de judías encima. Cúbralas con los filetes de atún. Sirva la ensalada tibia o a temperatura ambiente y decorada con las hierbas.

ensalada de atún y hortalizas frescas

para 4 personas

ingredientes

12 tomates cherry partidos por la mitad

225 g de judías verdes cortadas en trozos
de 2,5 cm

225 g de calabacines cortados
en rodajas finas

225 g de champiñones botón cortados
en láminas finas

hojas de ensalada

350 g de atún en salmuera escurrido
y desmenuzado

unas ramitas de perejil fresco,
para decorar

para el aliño

4 cucharadas de mayonesa

4 cucharadas de yogur natural

2 cucharadas de vinagre de vino blanco

sal y pimienta

Para preparar el aliño, ponga la mayonesa, el yogur, el vinagre, la sal y la pimienta en un tarro con tapa de rosca y agítelo todo hasta obtener una mezcla homogénea.

Ponga los tomates, las judías, el calabacín y los champiñones en un cuenco. Cúbralos con el aliño y déjelos marinar 1 hora.

Cubra una fuente con las hojas de ensalada. Añada primero las hortalizas y después el atún, y decore el plato con el perejil.

ensalada de gambas y mango

para 4 personas

ingredientes

2 mangos

225 g de gambas cocidas y peladas

hojas de ensalada, para acompañar

4 gambas cocidas enteras, para decorar

para el aliño

jugo de los mangos

6 cucharadas de yogur natural

2 cucharadas de mayonesa

1 cucharada de zumo de limón

sal y pimienta

Realice un corte largo en uno de los lados del mango siguiendo la curvatura del hueso y repita la operación con el otro lado. Sin pelarlo, corte la pulpa de ambas porciones en dados y, a continuación, empuje la piel hacia fuera y separe las porciones de la piel. Con un cuchillo afilado, pele la parte central restante y corte la pulpa pegada al hueso en dados. Reserve el jugo de los mangos en un cuenco y la pulpa en otro.

Añada las gambas peladas a la pulpa. A continuación, agregue al cuenco con el jugo el yogur, la mayonesa, el zumo, sal y pimienta al gusto, y mézclelo todo.

Cubra una fuente con las hojas de ensalada y añada la mezcla de mango y gambas. Aliñe la ensalada y sírvala decorada con las gambas enteras.

ensalada de salmón y aguacate

para 4 personas

ingredientes

450 g de patatas nuevas

4 filetes de salmón de unos 115 g cada uno

1 aguacate

el zumo de ½ limón

55 g de brotes de espinaca

125 g de hojas pequeñas y variadas
   de ensalada, berros incluidos

12 tomates cherry partidos por la mitad

55 g de nueces en mitades

para el aliño

3 cucharadas de zumo de manzana claro
   sin azúcar añadido

1 cucharadita de vinagre balsámico

pimienta negra recién molida

Trocee las patatas, póngalas en una cacerola y cúbralas con agua fría. Lleve el agua a ebullición, baje el fuego, tape la cacerola y hierva las patatas de 10 a 15 minutos, o hasta que empiecen a estar tiernas. Escúrralas y manténgalas calientes.

Mientras tanto, precaliente el grill a temperatura media. Ase el salmón bajo el grill de 10 a 15 minutos, según el grosor de los filetes, y deles una vuelta durante la cocción. Retírelos del horno y manténgalos calientes.

Mientras las patatas y el salmón se estén haciendo, parta el aguacate por la mitad y retírele el hueso. Pele la pulpa, córtela en rodajas y rocíelas con el zumo de limón para evitar que se oxiden.

Mezcle las espinacas y las hojas de ensalada en un cuenco grande y repártalas en 4 platos. Ponga 6 mitades de tomate en cada plato.

Retire la piel y las espinas del salmón. Desmenúcelo y divídalo entre los platos junto con la patata. Reparta las nueces por encima.

Para preparar el aliño, mezcle el zumo de manzana y el vinagre en un cuenco pequeño o una salsera, y sazónelo bien con pimienta. Aliñe las ensaladas y sírvalas enseguida.

langostinos al coco con ensalada de pepino

para 4 personas

ingredientes

200 g de arroz basmati integral

½ cucharadita de semillas de cilantro

2 claras de huevo un poco batidas

100 g de coco rallado seco sin azúcar
   añadido

24 langostinos tigre, crudos y pelados

½ pepino

4 cebolletas cortadas en láminas finas
   a lo largo

1 cucharadita de aceite de sésamo

1 cucharada de cilantro fresco picado

Lleve agua a ebullición en una cacerola grande, vierta el arroz y cuézalo 25 minutos, o hasta que esté tierno. Escúrralo y resérvelo en el escurridor tapado con un paño de cocina limpio para que absorba el vapor.

Mientras tanto, ponga 8 broquetas de madera en remojo durante 30 minutos y escúrralas. Machaque las semillas de cilantro en un mortero. Caliente una sartén antiadherente a fuego medio, añada las semillas machacadas y tuéstelas sin dejar de remover hasta que empiecen a tomar color. Retírelas a un plato y resérvelas.

Ponga las claras en un cuenco y el coco en otro. Pase los langostinos primero por las claras y después por el coco. Ensártelos en las broquetas de manera que haya 3 en cada una.

Precaliente el grill a la temperatura máxima. Con un pelador de patatas, corte el pepino en tiras largas en forma de cintas, póngalas en un escurridor para que suelten el agua, mézclelas con la cebolleta y el aceite en un cuenco, y resérvelo todo.

Ase los langostinos bajo el grill de 3 a 4 minutos por cada lado, o hasta que empiecen a dorarse.

Mientras tanto, mezcle el arroz con las semillas tostadas y el cilantro fresco, y reparta esta mezcla y la del pepino en los cuencos. Sírvalos con las broquetas de langostino calientes.

ensalada de atún y aguacate

para 4 personas

ingredientes

2 aguacates deshuesados, pelados
   y cortados en dados

250 g de tomates cherry partidos por
   la mitad

2 pimientos rojos sin las semillas
   y troceados

perejil fresco

2 dientes de ajo majados

1 guindilla roja fresca sin las semillas
   y bien picada

el zumo de ½ limón

6 cucharadas de aceite de oliva

sal y pimienta

3 cucharadas de semillas de sésamo

4 filetes de atún fresco,
   de unos 150 g cada uno

8 patatas nuevas cocidas y cortadas
   en dados

hojas de rúcula y pan crujiente, para
   acompañar

Mezcle el aguacate, el tomate, el pimiento, el perejil, el ajo,
la guindilla, el zumo y 2 cucharadas de aceite en un cuenco
grande. Salpiméntelo todo al gusto, tápelo y guárdelo
30 minutos en el frigorífico.

Machaque un poco las semillas de sésamo en un mortero.
Vuélquelas en un plato y extiéndalas de manera uniforme. Pase
los filetes de atún por las semillas y apriételos un poco para que
ambos lados queden bien cubiertos.

Caliente 2 cucharadas de aceite en una sartén, añada la patata
y fríala de 5 a 8 minutos, removiendo a menudo, o hasta que esté
crujiente y dorada. Retírela de la sartén y déjela escurrir sobre
papel de cocina.

Limpie la sartén con un paño, vierta el aceite restante y caliéntelo
a fuego vivo hasta que humee. Añada los filetes de atún
y áselos de 3 a 4 minutos por cada lado.

Para servir, reparta la ensalada de aguacate en 4 platos. Cubra
cada ración con un filete de atún, la patata y la rúcula. Sirva la
ensalada acompañada de pan crujiente.

ensalada de salmón, gambas y tomate

para 4 personas

ingredientes

115 g de tomates cherry o tomates pera
    mini

hojas de lechuga

4 tomates maduros cortados en trozos
    grandes

100 g de salmón ahumado

200 g de gambas grandes cocidas,
    descongeladas si son frescas

para el aliño

1 cucharada de mostaza de Dijon

2 cucharaditas de azúcar

2 cucharaditas de vinagre de vino tinto

2 cucharadas de aceite de oliva
    de acidez media

unas ramitas de eneldo fresco y un poco
    más para decorar

pimienta

Corte la mayor parte de los tomates cherry por la mitad. Distribuya las hojas de lechuga alrededor del borde de una ensaladera llana, y añada todos los tomates. Con unas tijeras, corte el salmón en tiras y agréguelo a la ensalada. A continuación, añada las gambas.

Para preparar el aliño, mezcle la mostaza, el azúcar, el vinagre y el aceite en un cuenco pequeño y, después, la mayor parte de las ramitas de eneldo desmenuzadas. Mézclelo y viértalo sobre la ensalada. Remueva bien los ingredientes para que se empapen del aliño. Recorte el eneldo restante, repártalo sobre la ensalada y sazónela con pimienta al gusto.

ensalada de langosta

para 2 personas

ingredientes
2 colas de langosta crudas
hojas de achicoria roja
ramitas de eneldo fresco, para decorar

para la mayonesa
1 limón grande
1 yema de huevo grande
½ cucharadita de mostaza de Dijon
150 ml de aceite de oliva
sal y pimienta
1 cucharada de eneldo fresco picado

Para preparar la mayonesa de limón y eneldo, ralle fino la mitad de la piel del limón y exprima el zumo. Bata la yema en un cuenco pequeño y, a continuación, incorpore la mostaza y 1 cucharadita del zumo.

Con un batidor de alambre o una batidora eléctrica, incorpore el aceite gota a gota a la mezcla del huevo hasta obtener una mayonesa consistente. Incorpore la ralladura y 1 cucharada del zumo restante.

Salpimiente la mayonesa al gusto y, si lo desea, añádale un poco más de zumo. Incorpore el eneldo, tape la mayonesa y guárdela en el frigorífico.

Lleve a ebullición agua con un poco de sal en una cacerola grande. Sumerja las colas de langosta y, cuando el agua rompa de nuevo a hervir, cuézalas durante 6 minutos, o hasta que la carne esté opaca y los caparazones enrojezcan. Escúrralas enseguida y déjelas enfriar.

Separe la carne de la langosta de los caparazones y trocéela. Emplate las hojas de achicoria en 2 platos y cúbralas con la langosta. Ponga una cucharada de la mayonesa de limón y eneldo a un lado de cada uno de los platos. Decore las ensaladas con unas ramitas de eneldo y sírvalas.

ensalada rusa

para 4 personas

ingredientes

115 g de patatas nuevas

115 g de habas congeladas o frescas,
   peladas

115 g de zanahorias mini

115 g de mazorquitas de maíz

115 g de nabos mini

115 g de champiñones botón cortados
   en bastoncillos

350 g de gambas cocidas peladas y sin
   el hilo intestinal

125 ml de mayonesa

1 cucharada de zumo de limón

2 cucharadas de alcaparras en conserva
   escurridas y lavadas

sal y pimienta

2 cucharadas de aceite de oliva
   virgen extra

2 huevos duros pelados y partidos
   por la mitad

4 filetes de anchoa en conserva escurridos
   y partidos por la mitad

pimentón dulce, para decorar

Cueza al mismo tiempo las patatas, las habas, las zanahorias, las mazorquitas y los nabos con agua y un poco de sal. Cueza las patatas en una cacerola grande durante 20 minutos. Hierva las habas en una cacerola pequeña durante 3 minutos, escúrralas, refrésquelas bajo el grifo con agua fría y resérvelas. Cueza las zanahorias, las mazorquitas y los nabos en una cacerola grande durante 6 minutos.

Mezcle los champiñones y las gambas en un cuenco y la mayonesa y el zumo en otro recipiente, y añada la mitad de esta mezcla al cuenco con las gambas. Incorpore las alcaparras y salpimiéntelo todo al gusto.

Escurra las hortalizas variadas, refrésquelas bajo el grifo con agua fría y vuélquelas en un cuenco. Cuando las patatas estén hechas, escúrralas, refrésquelas bajo el grifo con agua fría y vuélquelas en el cuenco. Desgrane las habas con los dedos y agréguelas también. Vierta el aceite y mezcle bien los ingredientes para que se empapen. Reparta las patatas y las hortalizas en 4 platos y cúbralas con la mezcla de gambas. Ponga medio huevo duro en el centro de la ensalada y decórela con las anchoas. Espolvoree los huevos con pimentón dulce y sirva la ensalada con la mezcla restante de mayonesa y zumo.

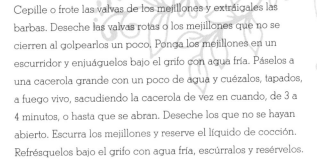

salpicón de marisco

para 4 personas

ingredientes

250 g de mejillones vivos

350 g de vieiras vivas, separadas de las
    valvas y limpias

250 g de calamares cortados en anillas
    y sus tentáculos

1 cebolla roja cortada por la mitad
    y en rodajas finas

perejil picado, para decorar

gajos de limón, para decorar

para el aliño

4 cucharadas de aceite de oliva
    virgen extra

2 cucharadas de vinagre de vino blanco

1 cucharada de zumo de limón

1 diente de ajo bien picado

1 cucharada de perejil fresco picado

sal y pimienta

Cepille o frote las valvas de los mejillones y extráigales las barbas. Deseche las valvas rotas o los mejillones que no se cierren al golpearlos un poco. Ponga los mejillones en un escurridor y enjuáguelos bajo el grifo con agua fría. Páselos a una cacerola grande con un poco de agua y cuézalos, tapados, a fuego vivo, sacudiendo la cacerola de vez en cuando, de 3 a 4 minutos, o hasta que se abran. Deseche los que no se hayan abierto. Escurra los mejillones y reserve el líquido de cocción. Refrésquelos bajo el grifo con agua fría, escúrralos y resérvelos.

Ponga el líquido reservado de nuevo en la cacerola y llévelo a ebullición. Añada las vieiras y el calamar, cuézalos 3 minutos y escúrralos. Refrésquelos bajo el grifo con agua fría y escúrralos de nuevo. Separe los mejillones de las valvas. Póngalos en un cuenco con las vieiras y el calamar, y déjelos enfriar. Tape el cuenco con film transparente y guárdelo 45 minutos en el frigorífico.

Reparta el marisco en 4 platos y cúbralo con la cebolla. Mezcle todos los ingredientes del aliño en un cuenco pequeño y viértalo sobre la ensalada. Decórela con el perejil y el limón, y sírvala.

ensalada de cantalupo y cangrejo

para 4 personas

ingredientes

350 g de carne de cangrejo fresca

5 cucharadas de mayonesa

50 ml de yogur natural

4 cucharaditas de aceite de oliva
    virgen extra

4 cucharaditas de zumo de lima

1 cebolleta bien picada

4 cucharaditas de perejil fresco bien
    picado

una pizca de cayena

1 melón cantalupo

2 cogollos de achicoria roja con las hojas
    separadas

ramitas de perejil fresco, para decorar

pan crujiente, para acompañar

Ponga la carne de cangrejo en un cuenco grande y retire los restos de caparazón o cartílago con cuidado de no desmenuzarla.

Ponga la mayonesa, el yogur, el aceite, el zumo, la cebolleta, el perejil picado y la cayena en un cuenco, y mézclelo todo bien hasta obtener una salsa homogénea. Incorpore la carne de cangrejo.

Parta el melón por la mitad y retírele las semillas. Córtelo en tajadas y separe la corteza de la pulpa con un cuchillo afilado.

Distribuya las tajadas de melón y las hojas de achicoria en 4 cuencos y disponga la mezcla de cangrejo por encima. Decore las ensaladas con unas ramitas de perejil y sírvalas con pan crujiente.

ensalada de gambas y arroz

para 4 personas

ingredientes

175 g de una mezcla de arroz de grano
  largo y arroz salvaje
350 g de gambas cocidas y peladas
1 mango pelado, deshuesado y cortado
  en dados
4 cebolletas cortadas en rodajas
25 g de almendras fileteadas
1 cucharada de menta fresca bien picada
sal y pimienta

para el aliño

1 cucharada de aceite de oliva virgen extra
2 cucharaditas de zumo de lima
1 diente de ajo majado
1 cucharadita de miel clara
sal y pimienta

Cueza el arroz en una cacerola grande con agua y un poco
de sal durante 35 minutos, o hasta que esté tierno. Escúrralo
y páselo a un cuenco grande. Añada las gambas.

Para preparar el aliño, mezcle todos los ingredientes en un tarro
grande, salpiméntelos y bátalos enérgicamente hasta obtener
una consistencia homogénea. Aderece la mezcla de arroz
y gambas con el aliño y déjela enfriar.

Añada el mango, la cebolleta, la almendra y la menta a la
ensalada, y salpiméntela. Mezcle bien los ingredientes,
repártalos en 4 cuencos y sírvalos.

ensalada de anchoas y aceitunas

para 4 personas

ingredientes

un buen manojo de hojas de ensalada
  variadas
12 tomates cherry partidos por la mitad
20 aceitunas negras sin hueso
  y partidas por la mitad
6 filetes de anchoa en conserva, escurridos
  y troceados
1 cucharada de orégano fresco picado
gajos de limón, para servir
panecillos crujientes, para acompañar

para el aliño

4 cucharadas de aceite de oliva
  virgen extra
1 cucharada de vinagre de vino blanco
1 cucharada de zumo de limón
1 cucharada de perejil fresco picado
sal y pimienta

Para preparar el aliño, ponga todos los ingredientes en un cuenco pequeño, salpiméntelos y mézclelos bien.

Para montar la ensalada, disponga las hojas de lechuga en una fuente. Cúbralas con los tomates, seguidos de las aceitunas, las anchoas y el orégano. Aderece la ensalada con el aliño.

Pase la ensalada a 4 platos, decórelos con los gajos de limón y sírvalos acompañados de panecillos crujientes.

ensalada de salmón ahumado y rúcula silvestre

para 4 personas

ingredientes

50 g de rúcula silvestre

1 cucharada de perejil fresco picado

2 cebolletas cortadas en dados pequeños

2 aguacates grandes

1 cucharada de zumo de limón

250 g de salmón ahumado

para el aliño

150 ml de mayonesa

2 cucharadas de zumo de lima

la ralladura fina de 1 lima

1 cucharada de perejil fresco picado

   y unas ramitas para decorar

Desmenuce la rúcula y repártala en 4 cuencos de cristal. Cúbrala con el perejil y la cebolleta.

Parta los aguacates por la mitad, pélelos, deshuéselos y corte la pulpa en rodajas finas o trozos pequeños. Pinte el aguacate con el zumo de limón para evitar que se oxide y repártalo entre los cuencos de ensalada. Mezcle los ingredientes con cuidado. Corte el salmón en tiras y añádalo a la ensalada.

Ponga la mayonesa en un cuenco y añada el zumo de lima, la ralladura y el perejil picado. Mézclelo todo bien. Ponga una cucharada de aliño sobre cada ensalada y decórela con unas ramitas de perejil.

ensalada de espirales con atún y hierbas

para 4 personas

ingredientes

200 g de espirales secas
1 pimiento rojo sin las semillas y cortado
   en cuartos
1 cebolla roja cortada en rodajas
4 tomates cortados en rodajas
200 g de atún en salmuera escurrido
   y desmenuzado

para el aliño

6 cucharadas de aceite aromatizado con
   albahaca o aceite de oliva virgen extra
3 cucharadas de vinagre de vino blanco
1 cucharada de zumo de lima
1 cucharadita de mostaza
1 cucharadita de miel
4 cucharadas de albahaca fresca picada
   y unas ramitas para decorar

Lleve agua con un poco de sal a ebullición en una cacerola grande. Añada la pasta y, cuando el agua rompa de nuevo a hervir, cuézala de 8 a 10 minutos, hasta que esté al dente.

Mientras tanto, ponga el pimiento bajo el grill precalentado y áselo de 10 a 12 minutos, hasta que la piel empiece a chamuscarse. Introdúzcalo en una bolsa de plástico, ciérrela y resérvela.

Escurra la pasta y deje que se enfríe. Saque el pimiento de la bolsa, pélelo y córtelo en tiras.

Para preparar el aliño, ponga todos los ingredientes en un cuenco grande y mézclelos bien. Añada la pasta, el pimiento, la cebolla, el tomate y el atún. Remuévalo todo con cuidado y reparta la ensalada entre 4 cuencos. Decórela con unas ramitas de albahaca y sírvala.

ensalada de marisco y espinacas

para **4 personas**

ingredientes

500 g de mejillones vivos, en remojo
  y limpios

100 g de gambas peladas y sin el hilo
  intestinal

350 g de vieiras

500 g de brotes de espinaca

3 cebolletas limpias y cortadas en dados

para el aliño

4 cucharadas de aceite de oliva
  virgen extra

2 cucharadas de vinagre de vino blanco

1 cucharada de zumo de limón

1 cucharadita de ralladura fina de limón

1 diente de ajo picado

1 cucharada de raíz de jengibre rallada

1 guindilla roja pequeña sin las semillas
  y bien picada

1 cucharada de cilantro fresco picado

sal y pimienta

Ponga los mejillones en una cacerola grande con un poco de agua y, cuando rompa el hervor, cuézalos 4 minutos a fuego vivo. Escúrralos y reserve el líquido. Deseche los mejillones que no se hayan abierto. Ponga de nuevo el líquido reservado en la cacerola y llévelo a ebullición. Añada las gambas y las vieiras, hiérvalas 3 minutos y escúrralas. Separe los mejillones de las valvas. Lave los mejillones, las gambas y las vieiras bajo el grifo, escúrralos y póngalos en un cuenco grande. Cuando se hayan enfriado, tápelos con film transparente y guárdelos 45 minutos en el frigorífico. Mientras tanto, lave las espinacas y páselas a una cacerola con 4 cucharadas de agua. Cuézalas 1 minuto a fuego vivo, páselas a un colador, refrésquelas bajo el grifo con agua fría y escúrralas.

Para preparar el aliño, ponga todos los ingredientes en un cuenco pequeño y mézclelos. Reparta las espinacas en la base de 4 platos y añada la mitad de la cebolleta. Cúbralo todo con los mejillones, las gambas y las vieiras, y añada la cebolleta restante. Aderece la ensalada con el aliño y sírvala.

ensalada de marisco
a la napolitana

para 4 personas

ingredientes

450 g de calamares limpios cortados
    en anillas gruesas

750 g de mejillones cocidos

450 g de berberechos en salmuera

150 ml de vino blanco

300 ml de aceite de oliva

225 g de campanelle u otro tipo de pasta
    seca

el zumo de 1 limón

1 manojo de cebollino recortado

1 manojo de perejil fresco bien picado

sal y pimienta

hojas de ensalada variadas

4 tomates grandes para decorar

Ponga todo el marisco en un cuenco grande, cúbralo con el vino y la mitad del aceite, y déjelo marinar durante 6 horas.

Pase la mezcla de marisco a una cacerola y cuézala 10 minutos a fuego lento. Deje que se enfríe.

Lleve agua con un poco de sal a ebullición en una cacerola grande. Añada la pasta y 1 cucharada de aceite, y cuézala de 8 a 10 minutos, hasta que esté al dente. Escúrrala bien y refrésquela bajo el grifo con agua fría.

Cuele la mitad del líquido de cocción del marisco y mézclelo junto con el zumo, el cebollino, el perejil y el aceite restante. Salpiméntelo todo. Escurra la pasta y añádala al marisco.

Desmenuce las hojas de ensalada y dispóngalas en la base de una ensaladera. Cúbralas con el marisco y rocíe la ensalada con la mezcla de zumo anteriormente preparada con la ayuda de una cuchara. Decore la ensalada con el tomate cortado en gajos y sírvala.

ensalada de mejillones

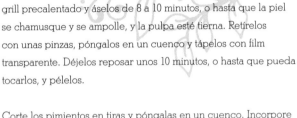

para 4 personas

ingredientes

2 pimientos rojos grandes sin las semillas
   y partidos por la mitad

350 g de mejillones frescos o congelados,
   cocidos y sin las valvas

1 cogollo de achicoria roja

25 g de rúcula

8 mejillones de labio verde cocidos y con
   las valvas

para el aliño

1 cucharada de aceite de oliva

1 cucharada de zumo de limón

1 cucharadita de ralladura fina de limón

2 cucharaditas de miel clara

1 cucharadita de mostaza francesa

1 cucharada de cebollino fresco recortado

sal y pimienta

Ponga los pimientos con la piel hacia arriba en la rejilla del grill precalentado y áselos de 8 a 10 minutos, o hasta que la piel se chamusque y se ampolle, y la pulpa esté tierna. Retírelos con unas pinzas, póngalos en un cuenco y tápelos con film transparente. Déjelos reposar unos 10 minutos, o hasta que pueda tocarlos, y pélelos.

Corte los pimientos en tiras y póngalas en un cuenco. Incorpore con cuidado los mejillones sin valvas.

Para preparar el aliño, bata el aceite, el zumo, la ralladura de limón, la miel, la mostaza y el cebollino en un cuenco hasta obtener una mezcla homogénea. Salpimiéntelo todo. Agregue la mezcla de pimiento y mejillones, y remuévalo con cuidado hasta que los ingredientes se empapen del aliño.

Retire el corazón de la achicoria y trocee las hojas. Póngalas en una fuente junto con la rúcula y mézclelas.

Apile la mezcla de mejillones en el centro de las hojas y decore el contorno de la fuente con los mejillones de labio verde en sus medias valvas.

ensalada de pescado agridulce

para 4 personas

ingredientes

225 g de filetes de trucha

225 g de filetes de pescado blanco
    (como bacalao o eglefino)

300 ml de agua

1 tallo de hierba de limón

2 hojas de lima

1 guindilla roja grande

1 manojo de cebolletas limpias
    y cortadas en rodajas

115 g de piña fresca cortada en dados

1 pimiento rojo pequeño sin las semillas
    y cortado en dados

1 manojo de berros lavados y limpios

cebollino fresco recortado, para decorar

para el aliño

1 cucharada de aceite de girasol

1 cucharada de vinagre de vino de arroz

una pizca de guindilla en polvo

1 cucharadita de miel clara

sal y pimienta

Lave el pescado, póngalo en una sartén y cúbralo con el agua. Doble el tallo de la hierba de limón por la mitad para majarlo y póngalo en la sartén con las hojas de lima. Pinche la guindilla con un tenedor y añádala también. Llévelo todo a ebullición y cuézalo a fuego lento de 7 a 8 minutos. Deje que se enfríe.

Escurra muy bien los filetes de pescado, separe la carne de la piel, desmenúcela y póngala en un cuenco. Incorpore con cuidado la cebolleta, la piña y el pimiento.

Reparta los berros entre 4 platos y cúbralos con el pescado con la ayuda de una cuchara.

Para preparar el aliño, mezcle todos los ingredientes y salpiméntelos. Aderece la ensalada con el aliño y sírvala decorada con cebollino.

gambas picantes con salsa de piña y papaya

para 8 personas

ingredientes

4 cucharadas de aceite de girasol

1 guindilla roja fresca sin las semillas
    y picada

1 diente de ajo majado

48 gambas

perejil fresco picado, para decorar

para la salsa de piña y papaya

1 papaya grande partida por la mitad, sin
    las semillas, pelada y cortada en dados
    de 5 mm de lado

1 piña pequeña partida por la mitad,
    descorazonada, pelada y cortada
    en dados de 5 mm de lado

2 cebolletas muy bien picadas

1 guindilla roja, o al gusto, sin las semillas
    y bien picada

1 diente de ajo muy bien picado

2½ cucharaditas de zumo de limón

½ cucharadita de comino molido

¼ cucharadita de sal

pimienta negra

Para preparar la salsa, ponga la papaya en un cuenco grande junto con la piña, la cebolleta, la guindilla, el ajo, el zumo, el comino, la sal y la pimienta. Rectifique el punto de zumo, comino, sal o pimienta al gusto, si es necesario. Tape el cuenco y guárdelo en el frigorífico durante 2 horas como mínimo.

Caliente un wok a fuego vivo. Vierta el aceite y hágalo girar para empapar la superficie. Añada la guindilla y el ajo, y saltéelos 20 segundos. Agregue las gambas y saltéelas de 2 a 3 minutos, hasta que estén bien cocidas, tomen un color rosado y se curven.

Vuelque las gambas, el ajo y el aceite que haya quedado en el wok a un cuenco refractario y deje que se enfríe todo en esta marinada de aceite picante. Cuando las gambas estén completamente frías, tape el cuenco y guárdelo al menos 2 horas en el frigorífico.

En el momento de servir, remueva la salsa y rectifique los condimentos. Disponga un montoncito de salsa en cada uno de los 8 platos. Retire las gambas de la marinada y repártalas en los platos. Decore las ensaladas con perejil y sírvalas.

pez espada con salsa de tomate fresco

para 4 personas

ingredientes

4 filetes de pez espada sin espina
   de unos 140 g cada uno

sal

una nuez de mantequilla

1 cucharada de aceite de oliva

rebanadas de pan crujiente,
   para acompñar

para la salsa de tomate fresco y aceitunas

4 cucharadas de aceite de oliva
   virgen extra

1 cucharada de vinagre de vino tinto

600 g de tomates de Montserrat maduros
   y jugosos sin las pepitas y cortados en
   dados pequeños

140 g de aceitunas negras, grandes,
   sin hueso y partidas por la mitad

1 chalote bien picado o cortado
   en rodajas finas

1 cucharada de alcaparras en salmuera
   lavadas y secas

sal y pimienta

3 cucharadas de hojas de albahaca bien
   desmenuzadas

Para preparar la salsa de tomate y aceitunas, bata el aceite y el vinagre en un cuenco lo bastante grande como para contener todos los ingredientes. Incorpore con cuidado el tomate, las aceitunas, el chalote, las alcaparras, y sal y pimienta al gusto. Tape el cuenco y guárdelo en el frigorífico.

Sale los filetes de pez espada por ambos lados. Funda la mantequilla junto con el aceite en una sartén lo bastante grande como para que quepan los filetes en una sola capa. (Si no dispone de una sartén de estas dimensiones, fría el pescado en 2 tandas.)

Introduzca los filetes de pescado en la sartén y fríalos 5 minutos, o hasta que se doren. Deles la vuelta con cuidado y prosiga la cocción otros 3 minutos, hasta que el pescado esté bien hecho y se desmenuce con facilidad. Retire el pescado de la sartén y deje que se enfríe por completo. Tápelo y guárdelo al menos 2 horas en el frigorífico.

En el momento de servir, saque el pescado del frigorífico con 15 minutos de antelación como mínimo. Incorpore la albahaca a la salsa y rectifique de sal y pimienta. Desmenuce el pez espada en trozos grandes e incorpórelos a la salsa de manera que queden lo más enteros posible. Reparta la ensalada de pescado entre 4 cuencos, riéguela con los jugos y sírvala con pan.

cóctel de gambas

para 4 personas

ingredientes

2 cucharaditas de sal

½ limón cortado en rodajas

32 gambas grandes peladas y sin el hilo
    intestinal, descongeladas si no son
    frescas

175 g de ketchup

1½ cucharadas de rábano picante rallado

3 tallos de apio cortados en rodajas
    de 5 mm de grosor

la ralladura fina y el zumo de 1 limón

sal y pimienta

hojas de lechuga iceberg troceadas,
    para acompañar

gajos de limón, para decorar

Lleve una cacerola con agua a ebullición. Incorpore la sal y las rodajas de limón, y baje el fuego al mínimo. Añada las gambas y cuézalas unos 3 minutos, hasta que estén hechas, tomen un color rosado y se curven. Escúrralas y, enseguida, refrésquelas bajo el grifo con agua fría para detener la cocción y enfriarlas. Resérvelas.

Mezcle el ketchup, el rábano, el apio y la ralladura en un cuenco. Incorpore 1 cucharada de zumo de limón y, después, el resto del zumo, y sal y pimienta al gusto. Añada las gambas, mézclelo todo, tape el cuenco y guárdelo al menos 2 horas en el frigorífico.

En el momento de servir, remueva la ensalada de gambas y rectifique el punto de los condimentos. Reparta la lechuga en 4 copas de cristal y cúbrala con la ensalada. Sírvala mientras esté fría acompañada de unos gajos de limón para aderezarla.

rémoulade de apionabo con carne de cangrejo

para 4 personas

ingredientes

450 g de apionabo pelado y rallado

el zumo de 1 limón

250 g de carne blanca de cangrejo fresca
sin restos de caparazón ni gelatina

eneldo o perejil frescos picados, para
decorar

para la salsa rémoulade

150 ml de mayonesa

1 cucharada de mostaza de Dijon

1½ cucharaditas de vinagre de
vino blanco

2 cucharadas de alcaparras en salmuera
bien lavadas

sal y pimienta blanca

Para preparar la salsa, ponga la mayonesa en un cuenco. Mézclela con la mostaza, el vinagre y las alcaparras, y salpimiéntelo todo al gusto; la mezcla debe quedar picante con un intenso sabor a mostaza. Tape el cuenco y guárdelo en el frigorífico.

Llene una cacerola grande con agua y un poco de sal y deje que hierva a borbotones. Mientras tanto, pele el apionabo, córtelo en cuartos y rállelo con un robot de cocina o con la parte gruesa de un rallador manual.

Añada el apionabo rallado y el zumo al agua, y blanquéelo de 1½ a 2 minutos, hasta que empiece a estar tierno. Escúrralo bien y póngalo bajo el grifo con agua fría para detener la cocción. Estrújelo con las manos para eliminar el exceso de líquido y séquelo con papel de cocina o un paño limpio.

Incorpore el apionabo a la salsa junto con la carne de cangrejo. Rectifique el punto de sal y pimienta. Tape el cuenco y guárdelo al menos 30 minutos en el frigorífico.

En el momento de servir, disponga la ensalada en cuencos transparentes con la ayuda de una cuchara y decórela con eneldo o perejil.

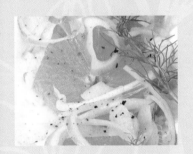

nutritivas

ensaladas energéticas

ensalada de arroz salvaje con pepino y naranja

para 4 personas

ingredientes

225 g de arroz salvaje

850 ml de agua

1 pimiento rojo, 1 amarillo y 1 anaranjado
   pelados, sin las semillas y cortados
   en tiras finas

½ pepino cortado por la mitad a lo largo
   y en rodajas

1 naranja pelada sin la membrana blanca
   y cortada en dados

3 tomates maduros troceados

1 cebolla roja picada muy fino

un buen manojo de perejil fresco picado

para el aliño

1 diente de ajo majado

1 cucharada de vinagre balsámico

2 cucharadas de aceite de oliva
   virgen extra

sal marina y pimienta negra

Ponga el arroz junto con el agua en una cacerola grande y lleve a ebullición. Remueva, tape la cacerola y hierva el arroz unos 40 minutos o hasta que esté al dente. Destape la cacerola durante los últimos minutos de cocción para que se evapore el exceso de agua.

Para preparar el aliño, ponga el ajo, el vinagre, el aceite, la sal y la pimienta en un tarro con tapa de rosca y agítelo todo bien. Rectifique el punto de vinagre, aceite, sal o pimienta.

Escurra el arroz y vuélquelo en una ensaladera. Vierta el aliño y mezcle bien los ingredientes. Incorpore el pimiento, el pepino, la naranja, el tomate, la cebolla y el perejil. Sirva la ensalada.

ensalada de pimiento rojo y achicoria

para 4 personas

ingredientes

2 pimientos rojos

1 cogollo de achicoria con las hojas
   separadas

4 remolachas cocidas enteras y cortadas
   en tiras

12 rabanitos cortados en rodajas

4 cebolletas cortadas en rodajas

4 cucharadas de aderezo básico para
   ensalada

pan crujiente, para acompañar

Descorazone los pimientos, retíreles las semillas y córtelos en aros.

Disponga las hojas de achicoria en una ensaladera. Agregue el pimiento, la remolacha, el rabanito y la cebolleta. Aderece la ensalada con el aliño y sírvala con pan crujiente.

ensalada de primavera

para 4 personas

ingredientes

2 manzanas de mesa sin el corazón
    y cortadas en dados
el zumo de 1 limón
una buena rodaja de sandía sin las pepitas
    y cortada en dados
1 cogollo de endivia troceado
4 tallos de apio con las hojas cortados
    en trozos grandes
1 cucharada de aceite de nuez

Descorazone las manzanas, córtelas en dados, póngalas en un cuenco y riéguelas con el zumo de limón. Compruebe que la fruta queda bien empapada para evitar que se oxide.

Añada el resto de la fruta y las hortalizas al cuenco y mézclelo todo con cuidado. Vierta el aceite por encima, mezcle de nuevo los ingredientes y sirva la ensalada.

ensalada de garbanzos y tomate

para 4 personas

ingredientes

175 g de garbanzos secos o 400 g
    en conserva escurridos y lavados

225 g de tomates maduros cortados
    en trozos grandes

1 cebolla roja cortada en aros finos

un manojo de hojas de albahaca fresca
    desmenuzadas

1 lechuga romana desmenuzada

pan crujiente, para acompañar

para el aliño

1 guindilla verde sin las semillas y bien
    picada

1 diente de ajo majado

el zumo y la ralladura de 2 limones

2 cucharadas de aceite de oliva

1 cucharada de agua

pimienta negra

Si utiliza garbanzos secos, déjelos en remojo la noche anterior y cuézalos 30 minutos como mínimo, hasta que estén tiernos. Escúrralos y deje que se enfríen.

Para preparar el aliño, ponga la guindilla, el ajo, el zumo, el aceite, el agua y la pimienta en un tarro con tapa de rosca y agítelo todo bien. Rectifique el punto del zumo o del aceite.

Añada el tomate, la cebolla y la albahaca a los garbanzos, y mezcle los ingredientes con cuidado. Aderece la ensalada con el aliño y mézclela de nuevo. Disponga la ensalada sobre un lecho de lechuga y sírvala con pan crujiente.

ensalada de hinojo y naranja

para 4 personas

ingredientes

2 naranjas peladas y cortadas en rodajas

1 bulbo de hinojo cortado en rodajas finas

1 cebolla roja pelada y cortada en aros

    finos

para el aliño

el zumo de 1 naranja

2 cucharadas de vinagre balsámico

Disponga las rodajas de naranja en el fondo de una fuente llana. Cúbralas con las rodajas de hinojo y, a continuación, con los aros de cebolla.

Para preparar el aliño, mezcle el zumo con el vinagre y aderece la ensalada con la mezcla.

ensalada tibia de patatas nuevas y lentejas

para 4 personas

ingredientes

85 g de lentejas de Puy

450 g de patatas nuevas

6 cebolletas

1 cucharada de aceite de oliva

2 cucharadas de vinagre balsámico

sal y pimienta

Lleve agua a ebullición en una cacerola grande. Enjuague las lentejas y cuézalas unos 20 minutos o hasta que estén tiernas. Escúrralas, lávelas y resérvelas.

Mientras tanto, cueza las patatas con agua o al vapor hasta que estén bien tiernas. Escúrralas y córtelas por la mitad.

Retire la base de las cebolletas y córtelas en tiras largas.

Ponga las lentejas, las patatas y la cebolleta en una ensaladera y alíñelo todo con el aceite y el vinagre. Sazone la ensalada con pimienta abundante y, si lo desea, con un poco de sal.

ensalada de brotes de soja, orejones y almendras

ingredientes

115 g de brotes de soja lavados y secos

un puñado de uvas verdes y negras sin
  semillas partidas por la mitad

12 orejones de cultivo ecológico
  cortados por la mitad

25 g de almendras escaldadas partidas por
  la mitad

pimienta negra

para el aliño

1 cucharada de aceite de nuez

1 cucharadita de aceite de sésamo

2 cucharaditas de vinagre balsámico

Ponga la soja en el fondo de una ensaladera grande y cúbrala con las uvas y los orejones.

Para preparar el aliño, vierta los dos tipos de aceite y el vinagre en un tarro con tapa de rosca y agítelos bien. Échelo sobre la ensalada.

Reparta las almendras sobre la ensalada y sazónela con pimienta negra recién molida.

ensalada de espárragos y tomate

para 4 personas

ingredientes

225 g de espárragos

1 manojo de canónigos lavados
   y troceados

25 g de hojas de rúcula o mizuna

450 g de tomates maduros cortados
   en rodajas

12 aceitunas negras sin hueso y cortadas
   en rodajas

1 cucharada de piñones tostados

para el aliño

1 cucharadita de aceite de limón

1 cucharada de aceite de oliva

1 cucharadita de mostaza de grano entero

2 cucharadas de vinagre balsámico

sal y pimienta

Cueza los espárragos al vapor unos 8 minutos o hasta que estén tiernos. Enjuáguelos bajo el grifo con agua fría para detener la cocción y córtelos en trozos de 5 cm de longitud.

Disponga las hojas de canónigo y de rúcula alrededor del borde de una ensaladera. Cúbralas con las rodajas de tomate puestas en círculo y con los espárragos en el centro.

Reparta las aceitunas y los piñones sobre la ensalada. Ponga los dos tipos de aceite, la mostaza y el vinagre en un tarro con tapa de rosca y salpimiéntelos. Agite bien el tarro y aderece la ensalada con el aliño.

ensalada de aguacate

para 4 personas

ingredientes

un buen manojo de hojas de achicoria

un buen manojo de hojas de rúcula

1 melón galia pequeño

2 aguacates maduros

1 cucharada de zumo de limón

200 g de queso fontina cortado en dados

perejil fresco picado, para decorar

para el aliño

5 cucharadas de aceite con aroma a limón

   o aceite de oliva virgen extra

1 cucharada de vinagre de vino blanco

1 cucharada de zumo de limón

1 cucharada de perejil fresco picado

Para preparar el aliño, mezcle el aceite, el vinagre, el zumo y el perejil en un cuenco pequeño.

Reparta las hojas de achicoria y de rúcula en 4 platos. Parta el melón por la mitad, retírele las semillas y separe la pulpa de la corteza. Deseche esta última. Corte la pulpa en tajadas y dispóngala sobre las hojas de ensalada.

Parta los aguacates por la mitad, retíreles el hueso y pélelos. Corte la pulpa y píntela con el zumo. Dispóngala sobre el melón y añada el queso. Aderece la ensalada con el aliño, decórela con perejil fresco picado y sírvala.

ensalada de patata
a las hierbas

para 4-6 personas

ingredientes

500 g de patatas nuevas

sal y pimienta

16 tomates maduros en rama cortados

   por la mitad

70 g de aceitunas negras sin hueso

   troceadas

4 cebolletas cortadas en láminas

2 cucharadas de menta fresca picada

2 cucharadas de perejil fresco picado

2 cucharadas de cilantro fresco picado

el zumo de 1 limón

3 cucharadas de aceite de oliva

   virgen extra

Cueza las patatas en una cacerola de agua con un poco de sal durante 15 minutos, o hasta que estén tiernas. Escúrralas, deje que se enfríen un poco y pélelas. Córtelas por la mitad o en cuartos, según el tamaño. Mezcle las patatas con el tomate, las aceitunas, la cebolleta y las hierbas en una ensaladera.

Mezcle el zumo y el aceite en un cuenco pequeño o una salsera y viértalo sobre la ensalada de patata. Salpimiéntela y sírvala.

taboulé

para 4 personas

ingredientes

175 g de quinoa

600 ml de agua

10 tomates cherry maduros, en rama, sin
las pepitas y partidos por la mitad

un trozo de pepino de 7,5 cm de longitud
cortado en rodajas

3 cebolletas cortadas en rodajas

el zumo de ½ limón

2 cucharadas de aceite de oliva
virgen extra

4 cucharadas de menta fresca picada

4 cucharadas de cilantro fresco picado

4 cucharadas de perejil fresco picado

sal y pimienta

Ponga la quinoa en una cacerola mediana y cúbrala con el agua. Llévela a ebullición, baje el fuego, tápela y cuézala a fuego lento durante 15 minutos. Si no se consume toda el agua, escurra la quinoa.

Deje que la quinoa se enfríe un poco antes de mezclarla con el resto de los ingredientes en una ensaladera. Rectifique el punto de sal y pimienta y sirva la ensalada.

ensalada de fideos de alforfón con tofu ahumado

para 2 personas

ingredientes

200 g de fideos de alforfón

250 g de tofu ahumado firme (peso
  escurrido)

200 g de col blanca cortada en juliana

250 g de zanahorias cortadas en juliana

3 cebolletas cortadas en rodajas al bies

1 guindilla roja fresca sin las semillas
  y cortada en aros finos

2 cucharadas de semillas de sésamo un
  poco tostadas

para el aliño

1 cucharadita de raíz de jengibre fresca
  rallada

1 diente de ajo majado

175 g de tofu suave (peso escurrido)

4 cucharaditas de tamari (salsa de soja
  sin trigo)

2 cucharadas de aceite de sésamo

4 cucharadas de agua caliente

sal y pimienta

En una cacerola grande, cueza los fideos en agua con un poco de sal de acuerdo con las instrucciones del envase. Escúrralos y refrésquelos bajo el grifo con agua fría.

Para preparar el aliño, mezcle el jengibre, el ajo, el tofu, la salsa de soja, el aceite y el agua en un cuenco pequeño hasta obtener una mezcla homogénea y cremosa. Salpimiéntela.

Ponga el tofu ahumado en una vaporera. Cuézalo 5 minutos y córtelo en lonchas finas.

Mientras tanto, ponga la col, la zanahoria, la cebolleta y la guindilla en un cuenco y mezcle los ingredientes. Para servir, reparta los fideos entre 2 platos y cúbralos con la ensalada de zanahoria y el tofu. Aderece la ensalada con el aliño y adórnela con el sésamo.

ensalada de calabacín
a la menta

ingredientes

2 calabacines cortados en bastoncillos

100 g de judías verdes cortadas en tres
  partes

1 pimiento verde sin las semillas y cortado
  en tiras

2 tallos de apio cortados en rodajas

1 manojo de berros

para el aliño

200 ml de yogur natural

1 diente de ajo majado

2 cucharadas de menta fresca picada

pimienta

Cueza el calabacín y las judías en una cacerola con agua y un poco de sal de 7 a 8 minutos. Escúrralos, lávelos bajo el grifo y escúrralos de nuevo. Deje que se enfríen por completo.

Mezcle el calabacín y las judías con el pimiento, el apio y los berros en una ensaladera.

Para preparar el aliño, mezcle el yogur, el ajo y la menta en un cuenco pequeño. Sazónelo con pimienta al gusto.

Aderece la ensalada con el aliño y sírvala enseguida.

ensalada de tomate, mozzarella y aguacate

para 4 personas

ingredientes
2 tomates de Montserrat maduros
100 g de mozzarella
2 aguacates
unas hojas de albahaca fresca troceadas
20 aceitunas negras
pan crujiente, para acompañar

para el aliño
1 cucharada de aceite de oliva
1½ cucharadas de vinagre de vino blanco
1 cucharadita de mostaza de grano grueso
sal y pimienta

Con un cuchillo afilado, corte los tomates en gajos grandes y póngalos en una fuente. Escurra la mozzarella y trocéela. Parta los aguacates por la mitad y retíreles los huesos. Corte la pulpa en rodajas e incorpórela a la fuente del tomate junto con la mozzarella.

Mezcle el aceite, el vinagre y la mostaza en un cuenco pequeño, salpiméntelo todo al gusto y viértalo sobre la ensalada.

Reparta la albahaca y las aceitunas por encima y sirva la ensalada enseguida, acompañada de pan crujiente.

sanfaina

para 4 personas

ingredientes

1 cebolla

1 berenjena de unos 225 g

1 pimiento rojo sin las semillas

1 pimiento anaranjado sin las semillas

1 calabacín grande de unos 175 g

2-4 dientes de ajo

2-4 cucharadas de aceite de oliva

sal y pimienta

1 cucharada de albahaca fresca picada

virutas de parmesano recién cortadas,
    para decorar

pan crujiente, para acompañar

para el aliño

1 cucharada de vinagre balsámico

2 cucharadas de aceite de oliva
    virgen extra

sal y pimienta

Precaliente el horno a 200 °C. Corte todas las hortalizas en trozos uniformes, póngalas en una bandeja y cúbralas con los dientes de ajo.

Riéguelas con 2 cucharadas de aceite y deles la vuelta hasta que estén bien empapadas. Salpiméntelas ligeramente. Ase las hortalizas en el horno durante 40 minutos, o hasta que estén tiernas, y añada un poco más de aceite si se secan demasiado.

Mientras tanto, ponga el vinagre, el aceite, la sal y la pimienta en un tarro con tapa de rosca y agítelo todo hasta obtener una mezcla homogénea.

Cuando las hortalizas estén asadas, retírelas del horno, pele los pimientos, póngalo todo en una fuente y aderece la sanfaina con el aliño. Decórela con la albahaca picada y unas virutas de parmesano. Sírvala tibia o fría acompañada de pan crujiente.

ensalada de tres legumbres

para 4-6 personas

ingredientes

175 g de hojas de ensalada variadas, como
   espinaca, rúcula y lechuga rizada

1 cebolla roja

85 g de rabanitos

175 g de tomates cherry

115 g de remolacha cocida

280 g de judías blancas en conserva,
   escurridas y lavadas

200 g de judías rojas en conserva,
   escurridas y lavadas

300 g de judías verdinas secas en
   conserva, escurridas y lavadas

40 g de arándanos secos

55 g de anacardos tostados

225 g de queso feta (peso escurrido)
   desmenuzado

para el aliño

4 cucharadas de aceite de oliva
   virgen extra

1 cucharadita de mostaza de Dijon

2 cucharadas de zumo de limón

1 cucharada de cilantro fresco picado

sal y pimienta

Disponga las hojas de ensalada en una ensaladera y resérvelas.

Corte la cebolla primero en rodajas finas y después por la mitad
en forma de medialuna y póngala en un cuenco.

Corte los rabanitos en rodajas finas y los tomates por la mitad.
Si es necesario, pele la remolacha y córtela en dados. Añada
las hortalizas troceadas a la cebolla junto con el resto de los
ingredientes, excepto los anacardos y el queso.

Ponga todos los ingredientes del aliño en un tarro con tapa de
rosca y agítelos hasta obtener una mezcla homogénea. Aderece
la ensalada con el aliño, mezcle los ingredientes con cuidado
y colóquelos encima de las hojas de ensalada.

Reparta los anacardos y el queso desmenuzado por encima
y sirva la ensalada enseguida.

ensalada de succotash

para 4-6 personas

ingredientes

1 cucharada de vinagre de manzana

1 cucharadita de mostaza de grano entero

1 cucharadita de azúcar

3 cucharadas de aceite de oliva
   al ajo

1 cucharada de aceite de girasol

400 g de maíz dulce en conserva, lavado
   y escurrido

400 g de judías peronas troceadas

2 pimientos pelados en conserva,
   escurridos y cortados en tiras

2 cebolletas cortadas en rodajas

sal y pimienta

2 cucharadas de perejil fresco picado,
   para decorar

Bata el vinagre junto con la mostaza y el azúcar. Sin dejar de batir, vierta poco a poco los dos tipos de aceite hasta obtener una emulsión.

Incorpore el maíz, las judías, el pimiento y la cebolleta. Salpiméntelo todo al gusto y remuévalo de nuevo. Tape la ensalada y guárdela en el frigorífico; si lo desea, puede prepararla con un día de antelación.

En el momento de servir, rectifique el punto de sal y pimienta, y decore la ensalada con el perejil.

ensalada de espinacas con aliño de queso azul

para 4-6 personas

ingredientes

300 g de brotes de espinaca envasados,
sin los tallos gruesos ni las hojas
amarillentas, bien lavados y secos
4 cebolletas cortadas en rodajas
3 naranjas separadas en gajos
55 g de semillas de girasol

para el aliño de queso azul

125 g de queso azul de sabor intenso,
como roquefort, desmenuzado
200 g de yogur griego
1 cucharada de vinagre de vino blanco
½ cebolla rallada
½ manojo pequeño de cebollino fresco
picado
sal y pimienta

Para preparar el aliño, ponga el queso, el yogur, el vinagre y la cebolla en una batidora o un robot de cocina, y tritúrelo todo hasta obtener una mezcla homogénea. Añada el cebollino y ponga la batidora o el robot en marcha unos segundos para incorporarlo. Salpimiente el aliño al gusto. Tápelo y guárdelo en el frigorífico.

En el momento de montar la ensalada, ponga las espinacas y la cebolleta en un cuenco y mézclelas con la mitad del aliño. Póngalas en una ensaladera, y añada la naranja y las semillas de girasol.

Sirva el aliño restante en una salsera aparte.

ensalada de pera y roquefort

para 4 personas

ingredientes

unas hojas de lollo rojo

unas hojas de achicoria roja

unas hojas de canónigo

2 peras maduras

cebollino fresco entero, para decorar

para el aliño

55 g de queso roquefort

150 ml de yogur natural

2 cucharadas de cebollino fresco
   recortado

pimienta

Para preparar el aliño, ponga el queso en un cuenco y cháfelo con un tenedor. Incorpore el yogur poco a poco hasta obtener una mezcla homogénea. Añada el cebollino y pimienta al gusto.

A continuación, trocee las hojas de lollo rojo, achicoria y canónigo. Disponga las hojas de ensalada en una fuente o repártalas entre 4 platos.

Parta las peras en cuartos y descorazónelas. Corte los cuartos en rodajas y dispóngalas sobre las hojas de ensalada.

Aderece la ensalada con el aliño de roquefort y decórela con el cebollino.

ensalada de fruta verde

para 4 personas

ingredientes

1 melón honeydew

2 manzanas verdes

2 kiwis

125 g de uvas blancas sin pepitas

ramitas de menta fresca, para decorar

para el almíbar

1 limón

150 ml de vino blanco

150 ml de agua

4 cucharadas de miel clara

unas ramitas de menta fresca

Para preparar el almíbar, pele el limón con un pelador de patatas.

Reserve una parte de la piel del limón y ponga el resto en una cacerola con el vino, el agua y la miel. Llévelo todo a ebullición y hiérvalo 10 minutos a fuego lento.

Retire el almíbar del fuego. Añada las ramitas de menta y deje que se enfríe.

Para preparar la fruta, corte el melón por la mitad y deseche las semillas con la ayuda de una cuchara. Con un vaciador de melón o una cucharilla, retire la pulpa en forma de bolitas.

Descorazone las manzanas y trocéelas. Pele los kiwis y córtelos en rodajas.

Una vez esté frío, cuele el almíbar sobre una ensaladera. Deseche la piel de limón y la menta.

Incorpore la manzana, las uvas, el kiwi y el melón a la ensaladera. Remuévalo todo con cuidado para que la fruta se empape bien con el almíbar.

Sirva la ensalada de fruta decorada con unas ramitas de menta y la piel de limón reservada.

ensalada de fruta tropical

para 4 personas

ingredientes
1 papaya
1 mango
1 piña
4 naranjas peladas y separadas en gajos
125 g de fresas sin los pedúnculos
    y cortadas en cuartos
nata líquida o espesa, para acompañar
    (opcional)

para el almíbar
6 cucharadas de azúcar
400 ml de agua
½ cucharadita de especias variadas
    molidas
la ralladura de ½ limón

Para preparar el almíbar, ponga el azúcar, el agua, las especias y la ralladura en una cacerola. Llévelo todo a ebullición y, sin dejar de remover, cuézalo 1 minuto. Retire el almíbar del fuego y deje que se enfríe a temperatura ambiente. Póngalo en una salsera o un cuenco, tápelo con film transparente y guárdelo en el frigorífico al menos 1 hora.

Pele la papaya, pártala por la mitad y retírele las semillas. Corte la pulpa en trozos pequeños o tajadas finas, y póngala en un cuenco grande. Parta el mango a lo largo siguiendo la curvatura del hueso. Retire el hueso y deséchelo. Pele la pulpa y córtela en trozos o tajadas pequeños y añádala al cuenco. Retire la parte superior y la base de la piña, y pélela. Corte la piña primero por la mitad a lo largo y luego en cuartos, y descorazónela. Corte la pulpa en trozos pequeños o tajadas finas, y añádala al cuenco. Agregue la naranja y las fresas.

Una vez esté frío el almíbar, viértalo sobre la ensalada. Tápela con film transparente y guárdela en el frigorífico. Si lo desea, sírvala con nata líquida o espesa.

ensalada de higos y sandía

para 4 personas

ingredientes

1 sandía de 1,5 kg aproximadamente

115 g de uvas negras sin pepitas

4 higos

para el almíbar

1 lima

la ralladura y el zumo de 1 naranja

1 cucharada de jarabe de arce

2 cucharadas de miel clara

Parta la sandía en cuartos y retírele las semillas. Separe la pulpa de la corteza y córtela en dados de 2,5 cm de lado. Ponga la sandía en un cuenco junto con las uvas. Corte los higos a lo largo en 8 gajos y añádalos al cuenco.

Para preparar el almíbar, ralle la piel de la lima y mézclela con la ralladura y el zumo de naranja, el jarabe de arce y la miel en una cacerola pequeña. Llévelo todo a ebullición a fuego lento. Vierta el almíbar sobre la fruta y remuévala. Deje que se enfríe. Remuévala de nuevo, tápela y guárdela al menos 1 hora en el frigorífico; remuévala de vez en cuando.

Reparta la ensalada de fruta entre 4 cuencos y sírvala.

ensalada de melón y mango

ingredientes

1 melón cantalupo

55 g de uvas negras cortadas por la mitad
  y sin las pepitas

55 g de uvas blancas

1 mango grande

1 manojo de berros limpios

hojas de lechuga iceberg cortadas
  en juliana

1 maracuyá

para el aliño del melón

150 ml de yogur natural

1 cucharada de miel clara

1 cucharadita de raíz de jengibre fresco
rallada

para el aliño de las hojas de ensalada

2 cucharadas de aceite de oliva

1 cucharada de vinagre de manzana

sal y pimienta

Para preparar el aliño del melón, bata el yogur junto con la miel y el jengibre en un cuenco pequeño.

A continuación, parta el melón por la mitad, retírele las semillas con una cuchara, y deséchelas. Separe la pulpa de la corteza y córtela en dados. Póngala en un cuenco con las uvas.

Realice un corte largo en uno de los lados del mango siguiendo la curvatura del hueso y repita la operación con el otro lado. Corte la pulpa de ambas mitades en forma de cuadrícula pero sin atravesar la piel. Empuje la piel hacia fuera para separar las porciones. Pele la pulpa y añádala al cuenco.

Reparta las hojas de berro y lechuga entre 4 platos.

Para preparar el aliño de las hojas de ensalada, bata el aceite y el vinagre con un poco de sal y pimienta. Aderece las hojas con el aliño.

Reparta la mezcla de melón en los 4 platos y, con la ayuda de una cuchara, cúbrala con el aliño de yogur.

Retire las semillas del maracuyá con una cuchara y repártalas por encima de las ensaladas. Sírvalas enseguida o guárdelas en el frigorífico.

ensalada de papaya

ingredientes

1 lechuga de hojas crujientes

¼ col blanca pequeña

2 papayas

2 tomates

25 g de cacahuetes tostados cortados
en trozos grandes

4 cebolletas limpias y cortadas en rodajas
finas

hojas de albahaca, para decorar

para el aliño

4 cucharadas de aceite de oliva

1 cucharada de salsa de pescado
o de soja clara

2 cucharadas de zumo de lima o de limón

1 cucharada de azúcar moreno oscuro

1 cucharadita de guindilla roja o verde
fresca picada

Para preparar el aliño, bata el aceite junto con la salsa de pescado o de soja, el zumo de lima o de limón, el azúcar y la guindilla. Resérvelo y remuévalo de vez en cuando para que se disuelva el azúcar.

Corte la lechuga y la col en juliana, mézclelas y póngalas en una fuente de servir.

Pele las papayas y pártalas por la mitad. Retíreles las semillas con la ayuda de una cuchara y corte la pulpa en tajadas finas. Dispóngala encima de la mezcla de lechuga y col.

Ponga los tomates en remojo en un cuenco con agua hirviendo durante 1 minuto, retírelos y pélelos. Retíreles las pepitas y corte la pulpa en rodajas finas. Repártalos encima de las hojas de ensalada y la papaya.

Cubra la ensalada con los cacahuetes y la cebolleta. Bata el aliño y viértalo sobre la ensalada. Decórela con la albahaca y sírvala enseguida.

cóctel de frutas

para 4 personas

ingredientes
2 naranjas
2 maracuyás grandes
1 piña
1 granada
1 plátano

Corte 1 naranja por la mitad y exprímala sobre un cuenco, evitando que caigan las semillas. Con un cuchillo afilado, pele la otra naranja y retírele la membrana blanca. Separe los gajos y pélelos con cuidado sobre un cuenco para aprovechar el jugo. Retire las semillas.

Corte los maracuyás por la mitad, pase la pulpa por un colador de nailon y, con una cuchara, presiónela sobre el cuenco que contiene los gajos de naranja. Retire las semillas.

Con un cuchillo afilado, pele la piña, córtela en cuartos a lo largo y retírele el corazón. Trocee la pulpa y añádala a la mezcla de naranja y maracuyá. Tape el cuenco y guárdelo en el frigorífico hasta el momento de servir.

Corte las granadas en cuartos y, con los dedos o una cucharilla, separe los granos rojos de la membrana. Tápelos y guárdelos en el frigorífico hasta el momento de servir; añádalos en el último momento para evitar que manchen el resto de la fruta.

En el momento de servir, pele el plátano y córtelo en rodajas, añádalo al cóctel de frutas junto con la granada y mezcle bien los ingredientes. Sírvalo enseguida.

ensalada de melón y fresas

para 4 personas

ingredientes

½ lechuga iceberg troceada

1 melón honeydew pequeño

225 g de fresas cortadas en láminas

un trozo de pepino de 5 cm de longitud
   cortado en rodajas finas

ramitas de menta fresca, para decorar

para el aliño

200 g de yogur natural

un trozo de pepino de 5 cm de longitud
   pelado

unas hojas de menta fresca

½ cucharadita de ralladura fina de lima
   o de limón

una pizca de azúcar

3-4 cubitos de hielo

Reparta la lechuga entre 4 platos.

Parta el melón a lo largo en cuartos. Retírele las semillas con la ayuda de una cuchara y corte la pulpa hasta alcanzar la corteza a intervalos de 2,5 cm. Corte el melón a ras de la corteza y separe la pulpa.

Ponga los trozos de melón sobre los lechos de lechuga junto con las fresas y el pepino.

Para preparar el aderezo, ponga el yogur, el pepino, la menta, la ralladura, el azúcar y los cubitos en una batidora o un robot de cocina. Tritúrelo todo unos 15 segundos hasta obtener una mezcla homogénea. Si lo prefiere, pique bien el pepino y la menta, triture los cubitos de hielo y mézclelo todo con el resto de los ingredientes.

Sirva la ensalada aderezada con un poco del aliño. Decórela con unas ramitas de menta fresca.

índice